LA PURETÉ DANGEREUSE

DU MÊME AUTEUR

BANGLA-DESH : NATIONALISME DANS LA RÉVOLUTION, Maspéro, 1973. Réédité au Livre de Poche sous le titre : LES INDES ROUGES, 1985.

LA BARBARIE À VISAGE HUMAIN, Grasset, 1977.

LE TESTAMENT DE DIEU, Grasset, 1979.

L'IDÉOLOGIE FRANÇAISE, Grasset, 1981.

QUESTIONS DE PRINCIPE I, Denoël, 1983.

LE DIABLE EN TÊTE, Grasset, 1984.

IMPRESSIONS D'ASIE, Le Chêne-Grasset, 1985.

QUESTIONS DE PRINCIPE II, Le Livre de Poche, 1986.

ÉLOGE DES INTELLECTUELS, Grasset, 1987.

LES DERNIERS JOURS DE CHARLES BAUDELAIRE, Grasset, 1988.

FRANK STELLA, La Différence, 1989.

CÉSAR, La Différence, 1990.

QUESTIONS DE PRINCIPE III, Le Livre de Poche, 1990.

LES AVENTURES DE LA LIBERTÉ, UNE HISTOIRE SUBJECTIVE DES INTELLECTUELS, Grasset, 1991.

PIERO DELLA FRANCESCA, Éditions de la Différence, 1992.

PIET MONDRIAN, Éditions de la Différence, 1992.

QUESTIONS DE PRINCIPE IV, Idées Fixes, Le Livre de Poche, 1992.

LE JUGEMENT DERNIER, Grasset, 1992.

LES HOMMES ET LES FEMMES (avec Françoise Giroud), Orban, 1993.

BERNARD-HENRI LÉVY

LA PURETÉ DANGEREUSE

BERNARD GRASSET
PARIS

Avant-propos

Ce livre est né d'une conversation avec Salman Rushdie, dans une ville du nord de l'Europe. C'était notre première rencontre. Il était plus vivant que je ne l'imaginais, plus gai. Ce regard en demi-lune avec sa pupille trop grande. Cet humour à froid dont je ne savais pas encore qu'il était la politesse de son désespoir et que le proscrit exerçait, ce soir-là, aux dépens de la famille royale d'Angleterre. Nous avions évoqué ses livres, les écrivains qu'il admirait, Rabelais, Laurence Sterne. Et puis nous avions parlé de l'Islam, de la vague intégriste qui montait, de la fatwah, de cet interminable bras de fer qui durait depuis trois ans, et dont l'enjeu le dépassait. «Les islamistes défient l'Europe, m'avait-il dit. Ils veulent voir ce que valent, à ses yeux, les valeurs universelles. Ils veulent savoir jusqu'où va son amour, et comment il s'incline.» Et puis, à la toute dernière minute, avant de me quitter, après qu'il eut accepté de faire, pour une journaliste, et sous haute surveillance, une photo dehors, dans la neige, que la presse allait titrer – suprême dérision – « Rushdie en liberté », il lâcha cette confidence, en guise d'adieu et alors qu'il retournait à ses gardes et à la nuit : « au fait, savez-vous que j'aurais aimé venir dans votre pays, que j'en ai plusieurs fois fait la demande et que le droit en a été refusé au citoyen britannique que je suis ? »

Ce livre est né à Sarajevo, un peu plus tard, autour de la Noël 1993. C'était une nuit presque ordinaire de la guerre à Sarajevo, peut-être un peu plus sombre, sans autre clarté que celle d'un incendie sur Dobrinya qui durait depuis la veille – un peu plus fébrile aussi, électrique : les patrouilles plus nombreuses ; les sentinelles, à la Présidence, bizarrement nerveuses ; des tirs d'obus, dans le lointain ; des coups de feu, plus rapprochés, qui indiquaient que les snipers ne dormaient que d'un œil. J'étais allé, dans la vieille ville, dîner chez Jovan Divjak, ce général serbe, resté côté bosniaque parce qu'il était de ceux – nombreux – qui nourrissaient le rêve d'une Bosnie laïque, multiculturelle, démocrate. Nous avions passé la soirée, comme chaque fois, à évoquer le mystère d'une non-intervention occidentale qui faisait, d'ores et déjà, le jeu de tous les extrémismes. Et Divjak, au moment de me raccompagner, debout sur le seuil de son immeuble, dans ce Sarajevo assiégé, et en ruine, où régnait, plus encore qu'à l'accoutumée, un climat de fin du monde, avait conclu – avant de retourner, lui aussi, à sa solitude : « c'est l'Europe qui est en état de siège ; ils ne le savent pas mais c'est l'Europe ; nous ne sommes que les sentinelles sur les remparts de la vieille Europe. »

Ce livre aurait pu naître à Alger, où se fomentaient des crimes qui allaient dans le sens du même assombrissement.

A Moscou où je revois Volodia, le fils d'un ancien dissident, m'expliquer qu'une guerre couvait, qui verrait s'affronter les héritiers de Pouchkine et ceux de Dostoïevski – les partisans des Lumières et les nouveaux cosaques.

Il aurait pu naître à Dacca, dans ce Bangla-Desh que j'ai vu, jadis, accéder à la liberté, dont j'ai aimé la culture, l'esprit frondeur – et où des fous de Dieu, vingt-cinq ans plus tard, obligent une femme écrivain à se terrer, puis s'exiler.

Il est né ici, à Paris, dans ce temps de chaos où il semble que nous soyons entrés.

Car enfin, quelle histoire !

Nous étions partis, n'est-ce pas, pour une nouvelle aube ? Nous pensions en avoir fini avec le communisme, la barbarie ?

Or, ce ne sont partout que convulsions, persécutions, disparitions, exterminations.

Ce sont des incendies en série.

Une débâcle multipliée.

C'est un génocide, là. Un autre, plus loin, qui se prépare.

C'est un pullulement de sectes. Un bouillonnement de fureurs inouïes.

C'est la vision, qui donne la nausée, d'un siècle en

crue, débordant de toutes parts et charriant, avant de se terminer, des monstres en tous genres.

C'est, dans la partie encore heureuse de l'Europe, un effacement des repères, un affolement des boussoles, une confusion généralisée des signes et des morales.

C'est un monde devenu fou, vraiment fou, qui semble s'ingénier à perdre les dernières sincérités – n'apparaît-il pas, aux dernières nouvelles, qu'il faudrait se faire à l'idée d'un pétainisme patriote et d'un vichysme républicain ?

Et puis, face à ce paysage de crue, l'étrange démission des Etats qui, s'ajoutant à la confusion des temps, fait qu'il n'y a plus rien de stable, ni dans le monde, ni dans les têtes.

Quand je cherche, dans l'Histoire, un analogue de ce malaise, quand je cherche un précédent à ce désarroi qui fond sur la démocratie, je n'en vois qu'un : celui de ce moment weimarien qui précéda, en Allemagne, le triomphe du nazisme.

Sans doute – et grâce au ciel – les perspectives, la nature de la menace, sont-elles différentes.

Et eux, les weimariens, n'étaient pas adossés,, comme nous, à cette extraordinaire promesse qu'aura été la chute du communisme.

Mais tout de même : il y avait, là aussi, une confiance illimitée dans les ressources de la raison, des droits, de l'homme, de la démocratie.

Il y avait ce sentiment que l'époque, avec la Grande Guerre, avait connu le pire et ne pouvait que s'ouvrir à des jours meilleurs.

C'était un sommet de culture et de beauté. Jamais

l'Europe n'avait été si savante, ni si sûre de son savoir. Jamais les Lumières n'y avaient rayonné avec un éclat si soutenu. On y trouvait quelques-uns des plus grands esprits, depuis la Renaissance. Et voici que ces esprits s'avisent – et ce moment est un des plus troublants, des plus énigmatiques, et surtout des plus effrayants, de l'Histoire européenne – que ce monde merveilleux, la maison de Goethe, la nouvelle patrie de la tolérance et de l'intelligence, ce Weimar dont on avait fait la capitale de la République parce qu'elle était déjà celle de l'Esprit, avait aussi enfanté un monstre.

Car c'était le même monde, ils le découvraient soudain. Parfois les mêmes hommes. Et c'étaient comme deux jumeaux que le même sein aurait nourris, que le même berceau aurait accueillis, qui auraient grandi ensemble – sans que l'un sache rien de l'autre avant ce moment de vérité où il le voit se dresser face à lui.

Les uns, comme Adorno, s'efforcent de penser le monstre. Les autres, comme Husserl, tentent, mais trop tard, d'en appeler à ce qui reste de conscience dans un peuple qui a déjà basculé. Thomas Mann s'éclipse. Mais le sentiment premier, et commun, est bien la stupeur, l'incrédulité épouvantée – à la fois devant l'horreur de ce qui s'énonce; devant l'évidence, très vite, d'une barbarie nouvelle, propre à l'époque et qui ne devrait presque rien aux âges antérieurs; et puis cette tristesse, cette honte, de n'avoir rien vu venir – comme aujourd'hui.

Ce que sont les barbaries qui enfièvrent le monde de l'an 2000; pourquoi maintenant; pourquoi ici;

comment elles peuvent cohabiter, comme à Weimar, avec un temps qui, par ailleurs, affiche un amour si vif de la démocratie, de l'humanitarisme, des droits de l'homme; si c'est le même temps, ou non; si la planète où l'on proscrit Rushdie, où s'embrase l'Algérie, où l'on bannit Taslima Nasreen, est bien celle que nous annonçaient les théoriciens de la fin de l'Histoire; ce qui s'est passé, au juste, avec l'implosion du bloc de l'Est; ce qui se passe, depuis – telles sont les interrogations qui sont à l'origine de ce livre.

Avec, aussitôt, cette cascade d'autres.

Ce que ces nouvelles barbaries ont elles-mêmes en commun; quelle est l'intrigue, au sens du tisserand, qui trame ces désastres épars.

Si elles sont nouvelles, d'ailleurs; *vraiment* nouvelles; si elles répètent les années trente ou si elles leur ressemblent en ceci qu'elles seraient, comme elles, inédites; si le monstre qui surgit est un monstre connu, répertorié dans les bestiaires – ou si c'est une bête sans espèce.

Si c'est une confusion provisoire ou durable; un état des choses ou une étape; si c'est une histoire qui commence ou une histoire qui finit; si c'est une crue, réellement, ce qui suppose un fleuve qui finira bien, un jour, par regagner son lit – ou si c'est un débordement plus ample, et sans retour.

Et puis cette autre encore, peut-être la plus décisive : ce que nous devons faire pour endiguer les eaux – et si nous le pouvons; s'il y a une issue – et laquelle; des armes – et pour qui; si l'Europe a dit son dernier mot et nous, ses héritiers, avec elle – ou si, comme dans les années trente encore, le temps des lumières est passé : on vient à peine de prendre la mesure du mal – et, déjà, il serait minuit dans le siècle...

Si je pose ces questions, et surtout la dernière, c'est que je ne me résous pas à ce qu'il soit si tard.

L'ombre croît, sans doute. La décomposition s'accélère. A l'heure où ce livre s'achève, la Russie se déchire, le Rwanda compte ses vivants, Salman Rushdie a fini par venir à Paris – mais qu'y a-t-il gagné ? Et quant à la Bosnie, qui ne voit que la barbarie s'apprête à y livrer l'avant-dernier assaut : celui qui vise les âmes et qui, s'il devait l'emporter, finirait de ruiner le rêve de Jovan Divjak ?

Je crois, néanmoins, qu'il est temps. Encore temps. Pour peu que l'on consente, aussi, à se soustraire à l'urgence, à faire halte – et penser le tumulte.

Première partie

LE RETOUR DE L'HISTOIRE

1

Les désarrois de l'après-communisme

Tout a commencé le 9 novembre 1989, jour de la chute du mur de Berlin et de ce que l'on baptisa – un peu vite – la mort du communisme.

Ce jour, nous l'attendions.

De toute notre âme, nous l'espérions.

Nul, bien entendu, n'avait la moindre idée, ni de la date de l'événement, ni de son allure. Mais que le système soit périssable, que sa mort soit, non seulement désirable, mais possible et même fatale, que toute chose ait sa fin et que le communisme ait, par nécessité, la sienne, nous étions plus nombreux à le penser que n'a bien voulu le dire la légende.

Nous l'escomptions donc, cette fin.

Elle ferait le bonheur, songions-nous, des peuples libérés. Mais elle ferait le nôtre, du même coup. Elle serait, par contagion, la forme de notre Salut. Car l'idée dominante, en ces années, était que les peuples de l'Est étaient, certes, opprimés ; qu'ils avaient souffert mille martyres ; mais qu'il y avait une part d'eux-mêmes sur quoi la dictature n'avait pas mordu et que cette part, bénie, avait été préservée, aussi, de ce que la modernité avait de plus pernicieux.

Nos sociétés étaient corrompues, voilà ce que l'on pensait. Repues et corrompues. Elles avaient désappris, avec l'abondance, le prix de la liberté. Et il y avait là-bas, à l'Est, des sociétés qui y avaient trop peu goûté pour n'en point conserver la nostalgie – et qui, lorsqu'elles se libéreraient, lorsqu'elles secoueraient leur joug et reviendraient prendre leur place dans cette Europe où on les avait « capturées », nous feraient inévitablement profiter de leur réserve d'innocence.

Aider les dissidents ? Nous aidions les dissidents. Mais nous aimions dire – et penser – qu'ils nous aidaient plus que nous ne les aidions. Nous aimions l'idée – et pas seulement l'idée – de nous mettre à leur école avant de les mettre à la nôtre. La fin du communisme serait notre chance. Ce serait notre jouvence. Tous ces mots de « liberté », de « droit », de « démocratie » qui avaient, dans nos contrées, perdu leur force, presque leur sens, retrouveraient, au contact de l'événement, toute leur splendeur passée.

C'était un rêve ? Bien sûr, c'était un rêve. C'était l'analogue occidental du songe soljenitsynien d'une Russie demeurée sainte, inentamée par l'horreur moderne, conservant en ses tréfonds des trésors de pureté. Et c'était surtout, lorsque l'on y repense, la dernière en date de ces utopies qui avaient scandé l'histoire du progressisme et où l'on voyait une fraction de l'humanité investie, par son malheur même, d'une fonction rédemptrice : le Dissident, d'une certaine façon, prenait le relais du Prolétaire; ou du Cubain; ou du Palestinien; il reprenait le rôle, dûment catalogué au répertoire de nos imaginaires, du Sujet qui, en se sauvant, sauve le genre humain; et telle était l'ironie de l'histoire, que le marxisme allait être la victime – la dernière – de ce ballet qu'il avait installé, au long du siècle, dans nos cervelles.

La grande différence, bien entendu, était que le Prolétaire annonçait un monde nouveau alors que nous n'attendions du Dissident qu'un ressourcement du monde ancien. Ces « mots de la tribu » auxquels, comme tout sujet rédempteur, et selon la formule consacrée, il devait donner un sens « plus pur », ce n'étaient plus ceux d'une tribu nouvelle, vaguement inquiétante, étrangère – mais, pour la première fois, ceux de notre propre tribu. Et peut-être était-ce, d'ailleurs, l'originalité de l'aventure : comme si, pour cette ultime pirouette, l'Histoire s'était appliquée à donner au mot même de révolution son sens le plus ancien : celui qu'il a en astronomie et qui signifie retour au point de départ.

Mais, à cette réserve près, c'était bien le même schéma que le schéma marxiste. C'était la même odyssée d'un Sujet que son supplice même dote du plus fastueux des pouvoirs. Et toute une partie de l'intelligentsia vivait, je le répète, dans cette double certitude. Sa corruption, d'un côté; presque son indignité; cette impureté fondamentale qu'elle prêtait – c'était le climat de l'époque : on l'a déjà oublié ! – au monde de la « modernité ». Et puis, cette image d'une *autre* Europe qui était comme un sanctuaire ou un musée – le dépôt d'on ne sait quelle réserve de Bien, stockée par un peuple de héros et qui, lorsqu'elle déferlerait, saurait nous revitaliser.

Or l'Evénement advient. Cet ébranlement tant souhaité, et dont on n'attendait rien de moins qu'une régénération de l'âme, il finit par se produire. Sauf qu'il s'offre sous un visage dont c'est peu dire qu'il surprend.

Ce sont des révolutions paradoxales, d'abord. Sans véritable insurrection. Ce sont des révolutions qui ne sont, nulle part, le fruit d'un de ces corps-à-corps, sans merci ni compromis, qui sont la loi du genre. J'ai fait, à l'époque, un voyage à Prague, Varsovie, Berlin, Sofia, Bucarest. Et ce qui me frappa ce fut, partout, ce sentiment d'irréalité : le Parti n'avait pas cédé, il s'était suicidé ; il n'avait pas reculé, il s'était sabordé ; ce n'est pas qu'une bataille politique acharnée l'eût contraint à pactiser – c'est lui qui, presque seul, sans pression ni harcèlement, avait décidé en quelques jours, parfois une nuit, de renoncer.

Ce sont des révolutions énigmatiques. Toutes les révolutions le sont, sans doute. Toutes ont leur part, irréductible, d'opacité et de secret. Mais il y avait dans celles-là, dans ces effondrements brusques et apparemment sans cause, une part d'ombre supplémentaire qui n'échappait pas aux acteurs – il faudrait dire aux spectateurs. Cette discussion, un soir, à Cracovie, avec un Lech Walesa plus conscient qu'aucun autre que la victoire était venue tard, alors que Solidarnosc était déchirée, essoufflée, au creux de la vague – et que ses dirigeants eux-mêmes étaient au bord de ne plus y croire : « vous connaissez l'histoire de ces tribus d'Indiens exterminées en une nuit par un microbe inconnu qu'avaient introduit les conquistadores de Cortès? c'est l'histoire de Jaruzelski et de sa clique; ça leur est tombé dessus, comme un fléau; n'allez pas chercher de raison là où il ne faut voir que la main de la Providence.»

Ce sont des révolutions tristes encore, mélancoliques, qui, passé les premières heures de liesse et de ferveur, retombent dans la torpeur. De quoi peut-on se réjouir quand on n'a pas livré bataille? Comment pavoiserait-on lorsque l'on sait que l'événement s'est, pour ainsi dire, produit sans vous? Frustration. Désenchantement. Le désenchantement, d'habitude, suit les révolutions. Il les accompagne, cette fois. Il est inscrit dans le programme. Ce sont les premières révolutions de l'Histoire à déception incorporée. Ce sont les premières à vivre ensemble les deux temps: celui de l'illusion lyrique et celui de la désillusion. Et ce sont les premières, du coup, à faire l'économie de l'extase et à gagner, ainsi, un temps considérable: la joie, la tristesse, l'accélération du processus, Thermidor déjà, la révolution glacée, la nostalgie – tout ce parcours rituel, historiquement fléché, qu'elles semblent faire défiler comme un film en accéléré.

Et puis, ce sont des révolutions perfides enfin, traîtresses – c'est un gigantesque malentendu, une duperie à l'échelle de l'Europe et de l'Histoire: ce sont des révolutions qui vont, à la minute, tromper l'immense et fol espoir que l'on avait placé en elles.

Passe encore, en effet, que le communisme ne daigne pas y mourir si vite que l'on espérait: l'Allemagne, se console-t-on, a mis cinquante ans à exorciser ses douze ans de nazisme – la Pologne, la Tchécoslovaquie, la Roumanie, l'Allemagne encore, pouvaient-elles, en huit jours, abjurer cinquante ans de communisme ?

Passe, aussi, que ces « purs » adhèrent, sans attendre, aux formes les plus viles de la modernité selon nos clercs : qu'ils acclament le chancelier Kohl, qu'ils le supplient de les mener à la « terre promise » du « miracle économique », qu'ils révèrent le Mark, qu'ils se ruent sur ce que l'univers de la marchandise peut avoir de plus pauvre (les fameuses bananes de Berlin-Est) ou de plus dérisoire (les cassettes pornographiques dont le commerce fleurit derrière la place Wenceslas, à Prague), tout cela est un peu pathétique mais, au fond, guère surprenant – et l'on feint d'y voir le signe d'une maladie infantile de la nouvelle ère démocratique.

Mais ce qui est plus rude, en revanche, ce qui laisse abasourdi l'essentiel de nos sacristies pensantes, c'est la réalité de ce que l'on découvre *à l'intérieur même* de ces terres d'où le communisme reflue.

On les savait ravagées, certes. D'une certaine façon, dévastées. On imaginait bien que la glaciation totalitaire y avait, depuis longtemps, compromis les conditions d'une vie sociale normale. Mais on pensait aussi qu'il en allait de ce froid comme de l'autre – et qu'en tuant les bons germes il avait aussi tué les mauvais : on se figurait ces sociétés comme des chambres stériles, préservées des pollutions et où se serait développé une sorte d'« homme intact » qui était la version postmoderne du fameux « homme nouveau » des révolutions d'antan.

Or voici cet homme intact. Il se dresse. Il s'ébroue. Il commence à parler, à donner son point de vue. Et au lieu de cette parole pure, au lieu de ces mots si frais que nous lui avions par avance, et si complaisamment, prêtés, ce sont les pires choses qui lui sortent de la bouche.

L'homme intact est nationaliste. L'homme intact est xénophobe. L'homme intact fait la chasse aux Gitans en Roumanie, aux Juifs en sainte Russie. L'homme intact est populiste. L'homme intact est fasciste. L'homme intact, en un mot, véhicule toute la cochonnerie, toute l'éternelle sanie de l'espèce. Et le monde, éberlué, découvre que, loin de nous conduire à cet eldorado démocratique dont il était supposé avoir gardé la clef, il convoque, et nous impose, ce que la mémoire récente de l'humanité avait capitalisé de plus noir.

Je me souviens d'une conversation avec Vaclav Havel, à Prague, au début de l'année 90, dans ce Château des Princes de Bohême où il avait encore du mal à trouver ses marques de chef d'Etat.

Il portait des chaussures de toile, une veste un peu fripée, une chemise à carreaux rouges et bruns, une fine cravate de vieux cuir. Il avait cet air de gentil séraphin, volontiers moralisateur, qu'avaient tous ses amis de la Charte 77 et qui collait, lui, à merveille, avec le portrait-robot de la sainteté postcommuniste.

Il était triste. Déjà las. Il sortait de l'hôpital, ou s'apprêtait à y entrer; mais sa lassitude tenait moins à la fatigue, ou à la maladie, qu'au climat qui régnait dans la ville, à la fièvre froide qui s'y répandait, au style des débats qui s'y tenaient – cette querelle notamment, qui était la grande affaire du moment et que l'on appelait, dans la presse, « la querelle du trait d'union » : oui, lui, Vaclav Havel, l'écrivain-président, l'un des plus grands dramaturges d'Europe, qui venait de sacrifier son œuvre sur l'autel du bien commun, je le voyais occupé à ce piteux débat dont le seul enjeu était de savoir si l'on devait ou non, entre « Tchéco » et « Slovaquie », conserver un trait d'union qui était le symbole même de l'injure faite aux deux peuples et à leurs identités ressuscitées.

Nous avions parlé de la querelle. Des pestilences qui flottaient sur l'ancienne Mitteleuropa. Evoquant mon précédent passage à Prague, quelques mois plus tôt, en ces temps déjà anciens où l'on ne savait jamais, quand on arrivait, si on le trouverait en liberté ou en prison, je lui avais répété combien j'avais de la peine à me faire à son nouveau destin. Et il m'avait dit ceci – qu'il redira à Joseph Brodsky, et qui était, ce jour-là, comme un cri du cœur, un appel ou un regret : le communisme avait été le cauchemar de l'Europe ; maintenant que se levaient les vents mauvais du mensonge, de la corruption nationale, de la calomnie, du racisme, il se demandait si ce n'était pas un autre cauchemar qui commençait et qui aurait, celui-là, le visage de l'après-communisme.

2

Démons ou chimères ?

Comment l'Occident réagit-il à ce cauchemar? comment l'analyse-t-il? Cette bévue – car c'en est une! – quelle lecture en propose-t-il et comment s'y prend-il, surtout, pour tenter d'y remédier?

Ce qui frappe lorsque l'on se replonge dans l'abondante littérature que suscita, aussitôt, cette effervescence postcommuniste, c'est que le phénomène nous fut constamment présenté comme un retour à des formes anciennes, archivées dans nos mémoires, désœuvrées, presque mortes – et que l'Histoire, en se remettant en route, aurait tirées de leur sommeil.

Les uns parlaient d'une « vase » obscure qui montait des douves de l'Europe.

Les autres de « braises » mal éteintes, noyées dans leur propre cendre, mais dont le souffle des temps nouveaux rallumerait l'incendie.

D'autres disaient : de « vieux démons », qui ont fait le malheur de l'Europe mais que l'Europe n'a pas chassés.

D'autres : des « spectres », des « fantômes », que nous pensions – quelle illusion ! – avoir rejetés dans les limbes d'une préhistoire toujours vivante.

Ailleurs encore – mais était-ce vraiment ailleurs ? – Varsovie, Prague, Sofia devenaient comme ces flacons d'Arabie, fermés sur leurs secrets et qui, lorsqu'on les débouche, voient des nuées de djinns jaillir, prendre leur envol, se dissoudre.

On nageait dans le spiritisme. Ce n'étaient partout qu'esprits frappeurs, larves, lémures, âmes errantes, revenants, âmes en peine. Et c'était à qui irait le plus loin dans cette débauche nécromantique – la plus spectaculaire, depuis la fameuse « marée noire de l'occultisme » qui effrayait tant Freud.

Jusqu'à Jean Baudrillard qui donna à ce courant sa forme la plus achevée – et, il faut bien le dire, la plus brillante – en inventant, avec le mot de « décongélation », *la* métaphore qui s'imposa à tout ce qui faisait profession de réfléchir, prévoir ou agir.

Le communisme a tout figé, disait en substance Baudrillard. Il a congelé ce qui lui préexistait. Pétrifié ce dont il a triomphé. C'est cette fameuse nappe de froid – mais qui, au lieu de tuer les germes qui font vivre, ou mourir, les sociétés, les aurait conservés, tels qu'en eux-mêmes, avec toute leur vivacité. Or, maintenant, la banquise fond. Et, comme dans toutes les débâcles, comme dans toutes les fontes des neiges remonte à la surface ce que la chape avait saisi : nationalismes, xénophobies, débris d'antisémitismes, racismes, populismes, accents d'hier et avant-hier, résidus de fascismes – une Atlantide engloutie, mais sauve, avec son cortège de monstres, de délires inaboutis, de fantômes.

De la politique comme hantise. De l'ontologie comme hantologie. La maison commune européenne devenait une maison hantée. Et s'installait un climat d'hypnose où nul n'aurait su dire si c'est la lie de l'Europe, ou son écume, que barattaient les inconscients – mais où il était clair que les périls les plus noirs n'avaient que la densité des ombres.

Tout cela faisait système.

Le système était cohérent.

Il était – il demeure – constitutif de notre air du temps.

Sauf qu'il avait une faiblesse : traiter le neuf comme de l'ancien.

Une fonction : ôter toute consistance, pour ne pas dire toute réalité, à la menace que ces retours allaient constituer.

Un effet pervers, puisqu'en déréalisant le danger, en le réduisant à une illusion, il désarmait la résistance qu'il aurait pu – ou dû – susciter : « on ne résiste pas à un mirage ; on ne se mobilise pas contre des djinns ; si l'antisémitisme russe, la chasse aux tziganes ou aux étrangers, la mégalomanie de Kravchouk, celle de Karadzic et de Tudjman, ne sont que des spectres qui font un dernier tour de piste avant de s'évanouir à jamais, alors le monde peut dormir tranquille, attendre que vieillesse se passe ; des ombres, dites-vous ? des fantômes ? personne ne croit aux fantômes ! personne d'un peu sensé ne se mobilise contre des apparitions ! »

Ce système participait, dans l'affaire bosniaque

par exemple, des discours les plus douteux – à commencer par celui qui ne voulait voir dans cette guerre qu'un affrontement sans âge, ancré dans des querelles aussi incompréhensibles qu'immémoriales.

Il allait dans le sens de tout ce que l'on a pu dire du caractère « tribal », presque « naturel », de cette mêlée.

Il était partie prenante des logiques de non-intervention : intervient-on dans une guerre de spectres ? comment fait-on pour séparer des fantômes qui s'étripent ?

Il était le substrat (non pas théorique, – mais, beaucoup plus grave, métaphorique) du nouvel esprit munichois qui planait sur l'Europe ; l'Histoire, et pas seulement celle des idées, dira le rôle qu'auront joué, dans l'installation de ce climat, des dispositifs philosophiques qui étaient, en ces années, la chose du monde la mieux partagée et dont la responsabilité n'incombait donc pas à tel ou tel, mais qui revenaient tout de même à dire, et je caricature à peine : « cette guerre des Balkans existe à peine ; c'est au mieux un leurre ; au pire une réédition ; laissons du temps au temps ; laissons les morts finir de mourir ; à quoi bon s'émouvoir de ce qui n'est, en somme, qu'un contretemps ? »

Et puis ce système avait le tort, enfin, d'être faux. Ou plus exactement (car une métaphore n'a pas à être « vraie » ou « fausse ») de s'autoriser d'hypothèses qui étaient, elles, mal fondées.

Le nationalisme par exemple. On disait : « le nationalisme fait retour. » Mais pour qu'il fasse retour, encore fallait-il qu'il fût parti. Chose qui, on aurait dû le savoir, n'avait jamais été le cas ni en Allemagne (où il était revenu à Honecker de relever la mémoire prussienne), ni en Pologne (où c'est le stalinien Gierek qui avait reconstruit l'ancien château royal de Varsovie), ni en Roumanie (où les courants dits « protochronistes », qui attribuaient à une imaginaire « race dace » la paternité des plus extraordinaires inventions de l'Occident, connurent leur plein essor au temps des Ceaucescu), ni en Russie enfin (où Staline lui-même fut le premier à encourager, développer, instrumentaliser le nationalisme russe et ses folklores).

La Russie, justement. On dit : le passé « revient » en Russie. Mais sommes-nous bien certains qu'il ne s'agisse que d'un passé ? ne commettons-nous pas une terrible erreur de jugement en ne voyant, dans le phénomène Jirinovski par exemple, que régression, imitation, répétition ? et dans la partie qui se joue, ces temps-ci, à Moscou, dans l'alliance sans précédent des ex-staliniens et des néo-nationalistes, dans cette renaissance d'un courant slavophile greffé sur l'antioccidentalisme modernisé d'un Piotr Savitsky, dans la résurgence des vieilles doctrines eurasiennes (opposition métaphysique des nations « continentales » et « océaniques ») mais rajeunies par leur jonction avec les idées de Serguei Stankevitch (pas de salut, pour la Russie, hors l'alliance historique avec l'Islam et la Turquie), bref dans ce maelström où se mêlent l'apologie de l'Asie, la haine de Pierre le Grand, la condamnation de l'Amérique conçue comme le prototype des nations océaniques honnies, la tentation d'un Islam perçu comme la seule force capable de défier l'Occident, la nostalgie de l'alliance allemande, la haine récurrente des Lumières, n'y a-t-il pas, dans tout cela, un type de dialectique de l'ancien et du nouveau qui échappe à la problématique, trop simple, de la résurgence ?

La Bosnie enfin. Ce fameux retour du fascisme, voire des fantômes de l'hitlérisme, qui, dans les premiers mois de la guerre, enfiévra les consciences occidentales. Milosevic n'était pas Hitler. La purification ethnique n'était pas la Shoah. Non pas, bien entendu, que l'une ne se puisse comparer à l'autre. Et l'on vit bien, du reste (je pense au très « bernanosien » *Fascisme qui vient* de Jacques Julliard) l'intérêt stratégique, ou politique, qu'il pouvait y avoir à le faire à l'heure où l'urgence consistait à sonner le tocsin dans une Europe qui ne voulait rien entendre. Mais en faisant de comparaison raison, en faisant de la Shoah, non pas l'étalon, mais le précédent de l'épuration ethnique, en voyant dans la guerre de conquête engagée par les milices serbes une revanche posthume des SS, on se privait de démêler ce qui singularisait cette nouvelle guerre : les viols de masse, par exemple ; la dimension slave, et orthodoxe, de l'aventure ; le type de rapport à la mémoire qu'impliquait l'obsession du « berceau serbe » du Kosovo ; ou encore le style, très particulier, d'alliage entre nationalisme et communisme dont Milosevic s'était fait le héraut.

La réalité, en un mot, c'est que la métaphore de la décongélation ne rendait nullement compte de la complexité de ces mouvements.

Elle était impuissante à saisir la singularité de ces

mixtes (Jirinovski, Milosevic...) qui avaient commencé d'apparaître avant même la fin, supposée, du communisme.

Cette idée des morts pesant sur les vivants, cette image de morts-vivants qui nous parleraient à voix basse pour nous murmurer des airs familiers, ce devenir-spectre du monde, cette familiarité avec les esprits, tout cela nous rendait sourds au monde qui venait.

En sorte que, métaphore pour métaphore, j'en proposai, moi-même, une autre – que le moment est venu d'affiner et qui avait, à mes yeux, le mérite de rompre avec ce climat de magie ou de climatologie politique, et de prendre au moins en compte la part de nouveauté de ce qui advenait.

Imaginons, disais-je, l'Europe comme un laboratoire.

Dans ce laboratoire, des cornues.

Dans ces cornues, un mélange, traversé par des courants d'une extraordinaire intensité.

Imaginez des molécules qui craquent.

D'autres qui se recomposent.

Imaginez les atomes politiques soumis à une pression inouïe qui les libère et les agrège autrement.

On les connaît, ces atomes. Chacun, en tant que tel, a sa place dans nos répertoires, nos taxinomies chimico-politiques. Sauf que la violence du choc, la puissance du big bang, l'aléa des rencontres, celui des collisions ou des attractions, hâtent des compositions qui sont, elles, en revanche, inédites.

C'est, toutes proportions gardées, ce qui se

produisit, au début du siècle, avec le national-socialisme.

Il y avait le « national ». Il y avait le « socialiste ». Il y avait là deux éléments, donc deux lignages et deux traditions, dont personne au monde ne pouvait prévoir qu'ils puissent, à la faveur d'on ne sait quel mouvement tourbillonnaire, se rapprocher, entrer en contact et former, pour finir, « la » synthèse du XXe siècle.

Or un laboratoire s'ouvre à Paris, qui s'appelle le « Cercle Proudhon » et où des maurrassiens et des soréliens, des apôtres du nationalisme intégral et du socialisme révolutionnaire, entreprennent de se retrouver et de confronter leurs points de vue ; un autre laboratoire prend le relais, vingt ans plus tard, à Berlin, où s'élaborent des produits de synthèse aussi bizarres que le « national-bolchevisme », ou le phénomène « révolutionnaire-conservateur » ; et c'est enfin, au bout du parcours, au fond de l'éprouvette, ce monstrueux précipité, forme achevée de l'hybridation, qui s'appelle, cette fois, bel et bien, « national-socialisme ».

Nous en sommes là. Non pas que l'Europe centrale d'aujourd'hui réinvente le national-socialisme (ce qui nous placerait, de nouveau, dans l'hypothèse « retour des démons »). Mais une catalyse est en cours qui est, elle, et comme catalyse, parfaitement comparable à celle qui, naguère, engendra le cauchemar allemand. Et elle débouche, cette catalyse, sur une créature étrange, atypique, imprévisible encore, aussi ancienne *et* nouvelle, familière *et* impensable que, pour son temps, et en son temps, put l'être le nazisme :

une autre chimère, en somme; une licorne pour temps modernes; un artefact qui ne serait formé que d'éléments connus et dont on identifierait le mufle, la corne, les pattes, tel autre trait de monstruosité, mais ni le souffle, ni l'odeur, ni les réflexes, ni les modes de prédation, ni le cri – sans parler des ravages qu'il sème déjà sur son passage.

Le nom de cette chimère? C'est toute la question. C'est, *toujours*, toute la question. Et ce l'était déjà, on ne s'en souvient plus beaucoup, au long des années trente, dans ces temps de grande confusion où, avant même la guerre réelle et ses morts de chair et sang, fit rage une furieuse bataille sémantique dont l'enjeu était de savoir comment on appellerait la goule nazie, et les monstres apparentés.

Mais une chose, en tout cas, est sûre : il est là le nouveau griffon; on l'entend déjà qui mugit; ce n'est pas ce vol d'éphémères dont certains aimeraient se bercer; le monde est mûr : il ne rejoue pas des drames anciens, mais accouche d'une tragédie nouvelle.

3

Les dévots de la fin de l'Histoire

C'est dire l'erreur de ceux qui, dans les mêmes années, relancèrent le débat dit de la « fin de l'Histoire »

La thèse était connue. C'était celle de Hegel prononçant son fameux : « L'Histoire, en principe, est terminée. » C'était celle d'Alexandre Kojève, le meilleur de ses commentateurs, saluant, un siècle et demi plus tard, l'avènement d'un monde où les Américains faisaient figure de « Sino-Soviétiques enrichis » et les Russes et les Chinois d'« Américains encore pauvres, en voie de rapide enrichissement ». Et c'était un épigone, Francis Fukuyama, qui reprenait la prophétie, mais en la mettant au goût du jour – qui était celui de la fin du communisme et du supposé retour des démons.

Tout se passe, disait-il en substance, comme si le monde avait essayé les diverses façons qu'ont les hommes d'être gouvernés et de vivre ensemble.

C'est, continuait-il, comme un mystérieux procès de sélection qui aurait éliminé, au fil des siècles, une série de « mauvaises » formules : féodalisme, fascisme, despotisme asiatique, aristocratie, hitlérisme, anarchie, etc.

Or il restait le communisme.

Il restait, avec ce communisme, le dernier concurrent, peut-être le plus sérieux, de la solution démocratique.

Et voici qu'arrive la finale du grand match de l'Histoire universelle – voici que s'engage le corps-à-corps décisif et que c'est lui, le communisme, qui doit à son tour céder la place.

Tout est dit, à partir de là. Les possibles sont épuisés. Il n'y a plus, nulle part, de grand système alternatif, capable de défier la démocratie. Et Fukuyama de conclure que celle-ci est le point final de l'évolution de l'humanité : le terme de son errance, l'objet de son désir – la bataille s'achève faute de combattants, puisqu'un même système de valeurs fait désormais l'objet, d'un bout à l'autre de la planète, d'un consensus à peu près sans partage.

D'autres événements se produiront, précise-t-il. Et « fin de l'Histoire » ne signifie ni que le temps suspende son vol, ni que l'espèce renonce à son affairement millénaire. Mais rien de ce qui arrivera ne changera plus le cours des choses. Aucun modèle n'a, ni n'aura, la prétention de supplanter le modèle désormais dominant. Ses derniers opposants ne le contesteront plus que pour la forme, par habitude ou désespoir. Et nul n'empêchera plus l'american way of life de devenir tôt ou tard, mais partout, « le genre de vie propre à la période posthistorique ».

La guerre, en d'autres termes, est finie. Elle l'est

pour des siècles et des siècles. Et rien de radicalement neuf ne viendra plus remettre en cause la supériorité, définitive, du système libéral, démocratique et marchand.

La thèse, je m'empresse de le préciser, valait mieux que les caricatures qui en furent, un peu partout, proposées.

C'était, à sa façon, une thèse forte. C'était même une hypothèse féconde. Comme toutes les thèses fortes, et fécondes, elle rendait incontestablement compte d'une part de l'esprit du temps. Je l'ai dit, d'ailleurs, sur l'instant. Je me souviens d'avoir écrit, et de l'article de Fukuyama, et de son livre, qu'ils étaient le fidèle reflet d'un temps marqué par la chute du Mur, l'ivresse démocratique qui s'ensuivait, le recul presque infini des frontières du village planétaire, la mondialisation des échanges, le câblage généralisé.

Et j'avoue qu'aujourd'hui encore, alors que se met en place la «pax americana», alors que les mollahs iraniens ne sont plus menacés que par les antennes paraboliques de CNN, quand je vois Boris Eltsine renoncer, en échange de quelques millions de dollars, à mener une politique étrangère offensive, quand le gouvernement du Bangla-Desh accepte, pour des raisons identiques, d'exfiltrer Taslima Nasreen et de désavouer ses propres intégristes, quand il n'y a plus un pays du «front du refus» qui, si radical soit-il, ne rêve de *sa* poignée de main avec *son* responsable israélien sur *son* bout de pelouse de la Maison-Blanche, quand c'est la planète entière qui semble, tout à coup, soucieuse de liquider ses derniers conflits comme pour mieux aborder, en bon ordre et grand équipage, le cap fatidique de l'an 2000, j'avoue que je me surprends moi-même, dans ces moments, à penser : « et si Fukuyama avait raison ? et si le monde était en effet entré dans cet âge de la toute fin ? et s'il fallait renoncer à ce beau mot de Marx dont j'ai longtemps fait ma devise et qui ne m'avait, jusque-là, jamais trahi : l'Histoire a plus d'imagination que les hommes ? » – toutes perspectives qui, cela va de soi, n'auraient que des raisons de me réjouir...

Bref, une hypothèse sérieuse. A prendre absolument au sérieux. Peut-être, je pèse mes mots, et par-delà le nom, la personne, les textes mêmes de Fukuyama, *le* débat politique le plus sérieux de ces dernières années.

Je m'étais promis, alors, de répondre sur le fond ; tâche, au demeurant, moins aisée qu'il y paraît, tant ce type de discours a pour vertu (on le sait depuis *La Phénoménologie de l'esprit*) d'anticiper les réfutations, de s'ouvrir à elles, de les laisser se dire, mais toujours pour conclure (et que peut-on rétorquer à pareil argument d'autorité ?) que telle situation dont nous fascine l'apparente fraîcheur, telle « chimère », telle « licorne », ne sont que péripéties, incidents, tout juste un bruit d'ailes sur fond de grand silence historial – puisqu'elles avaient leur place dans le système, qu'elles y étaient *déjà pensées*.

Mais enfin essayons. Je crois, quelle que soit sa force, et si maligne que semble sa capacité d'enveloppement, que l'on tient tout de même, contre ce terrorisme de la fin, quelques griefs solides. Disons, successivement : un ton, un climat, un constat, une objection et, enfin, un pari.

Le ton.

On peut dire : une forme de naïveté.

Ou : quelque chose d'un peu « américain » dans la façon d'enjamber les siècles, les continents, les grandes questions, les doctrines.

Ou, encore : un trait qui n'est, lui, pas particulièrement « américain » puisqu'il est partagé par l'ensemble de la philosophie depuis saint Augustin ; cette façon d'élire un événement (l'entrée d'Alaric à Rome, celle de Napoléon à Iéna et, maintenant, la chute du Mur...) pour crier à la cantonade : « Rome est où je suis ; le monde est où je veux ; l'Histoire passe et se fixe, à jamais, sous mes fenêtres ; il suffit que mon esprit s'arrête pour que l'esprit du monde s'arrête et se fige aussi. »

Evénement, avènement. Biographie, théologie. C'est, trivialement, ce que l'on appelle « voir midi à sa porte ». Mais c'est aussi, j'en ai peur, la forme spécifiquement philosophique de la paranoïa. Que cette paranoïa, Fukuyama la partageât, dans une forme abâtardie, avec Augustin, Hegel et quelques autres, ne la rend pas plus recevable – et c'est la première raison d'accueillir avec méfiance l'« heureuse » nouvelle qu'il nous apporte.

Le climat.

C'est le parfum de désordre, de décomposition extrême, qui flotte sur la planète.

Ce sont les Empires qui se défont. Les peuples qui

s'effondrent. Ce sont des guerres étranges, aux formes erratiques, dont aucun modèle connu ne parvient à rendre compte.

C'est cette impression de chaos ou de catastrophe lente – et qui, soudain, s'accélère : ce moment, bien connu des navigateurs, où l'on ne sait dans quel sens ira le vent ; le navire gîte ; la voile faseye ; mais on sait que la tempête peut, d'un instant à l'autre, emporter le gréement.

C'est le vacillement de nos croyances. Une divagation généralisée. C'est ce monde « hors de ses gonds » dont parle Brecht – après Hamlet – dans *L'Achat du cuivre* et dont on a le sentiment qu'il achève de se dérégler.

Ce sont, avec la chute du mur de Berlin, toutes les frontières de la planète qui perdent leur évidence : la frontière c'était la loi ; c'était même, un peu, la nature ; voici qu'une frontière s'effondre et que son effondrement fait le tour du monde ; quelle est l'autre frontière dont on ne se dise : « et si, après tout, ce n'était pas la loi ? et si on s'était laissé abuser, en lui prêtant cette pérennité qui n'appartient en principe – et encore ! – qu'à la nature ? »

Ce sont les réfugiés.

Ce temps, nouveau, des réfugiés.

Il y a toujours eu des réfugiés, depuis Moïse et la sortie d'Egypte.

Mais ils n'avaient jamais été si nombreux. Et l'on n'avait jamais eu le sentiment qu'ils constituaient, à ce point, et comme l'annonçait Hannah Arendt, un type d'humanité.

Ce sont des peuples entiers qui deviennent des

peuples de réfugiés. On est réfugié, parfois, chez soi. On est réfugié dans son propre pays. On devient un réfugié, sans même fuir ni bouger. Comme les Palestiniens ? Mettons qu'il y ait eu les Palestiniens. Mais le modèle se généralise. Leur destin se planétarise. C'est comme un devenir-palestinien du monde, avec ses camps, ses bidonvilles, ses dispositifs d'urgence qui s'éternisent.

Il y avait le Prolétaire, selon Marx. Le Travailleur selon Jünger. Nous avons même eu, n'est-ce pas, la figure, émancipatrice, du Dissident ? Eh bien voici le Réfugié, emblème de la modernité, figure éponyme de son désastre, mais aussi de sa nouveauté.

Signe des temps : ces Albanais qui débarquèrent à Brindisi, dans le Sud de l'Italie, un matin de l'été 1991 – et que l'Europe préféra refouler.

Signe des temps : l'Afrique ; le Rwanda et l'Afrique ; avant même le génocide rwandais, et après lui, ces grandes cohues d'hommes et de femmes qui, lorsqu'on leur demande : « pourquoi vous mettez-vous en route », n'auraient souvent à répondre que : « nous sommes des réfugiés ; nous nous mettons en route parce que ce temps est, réellement, le temps des réfugiés. »

Signe des temps : jadis, c'est-à-dire à l'âge communiste, les dictateurs bouclaient leurs frontières, retenaient leurs dissidents ; aujourd'hui, un Castro les transforme en réfugiés et fait de ces réfugiés une arme politique, la dernière – ne menace-t-il pas, en un ultime baroud, de faire déferler jusqu'à Key West, sur les côtes américaines, ceux qu'il appelle des « vers de terre » ? Il n'y a plus d'homme nouveau, c'est entendu – et le vieux Castro le sait. Mais qu'il en soit là, qu'il en soit à brandir l'arme du réfugié comme d'autres l'arme chimique ou atomique, que le réfugié devienne cette arme et que ce soit à lui qu'incombe le rôle, sinon de subvertir, du moins de submerger le monde ennemi, voilà qui en dit long sur la nouveauté des temps.

Bref, un remue-ménage inouï. Des turbulences sans précédent. Des événements qui tournent, tournent, comme des oiseaux en cage.

Finie, disent-ils ? Supposons, oui, un instant, que l'Histoire soit finie. On aurait envie de dire de cette fin ce que nos aînés disaient de la Révolution : qu'elle n'est pas un dîner de gala. On aurait envie de dire de ce temps, s'il advenait, que ce serait le temps, non de la paix, mais des plus grandes convulsions : une mauvaise nouvelle plus qu'une bonne, un cauchemar, un drame peut-être – le contraire de l'irénisme qu'on nous promet.

Le constat.

Plus d'alternative, disent les néo-hégéliens. Des événements, oui. Autant d'événements qu'on le voudra. Mais sans qu'une signification ultime les transcende, les traverse et les transfigure – et sans que s'offre, à travers eux, une conception de la société qui diffère de celle des Occidentaux.

Soit. Que faire, dans ce cas, de ces nouvelles synthèses national-communistes qui précipitent dans les laboratoires serbe et russe ?

Que faire de cet Islam politique qui triomphe à Alger et dont on peut difficilement nier qu'il s'offre comme un modèle alternatif au modèle de civilisation inspiré de la France et de l'Europe ?

Que dire du fondamentalisme musulman, en général ? de ses progrès dans le monde arabe, et pas seulement dans le monde arabe ? que dire d'un Hassan el-Tourabi, doyen de la faculté de droit de Khartoum, homme fort du nouveau Soudan, qui clame à qui veut l'entendre, c'est-à-dire, pour le moment, et en Occident, pas grand monde : « l'islamisme tel que je le conçois n'est pas une régression tribale ; ni un particularisme obscur ; c'est un modèle de société ; et ce modèle nous l'offrons, non aux seuls musulmans, et encore moins aux seuls Arabes, mais à l'entière humanité ? »

Il y a là un universalisme malin, mais un universalisme tout de même. Il s'oppose, terme pour terme, au nôtre. Il prétend le destituer. Il conteste sa prétention à être la dernière philosophie susceptible de se planétariser.

Alors on peut, bien sûr, décider de ne pas entendre.

On peut juger – cela s'est écrit – que l'islamisme politique a fait son temps.

On peut même estimer qu'à l'échelle des siècles et des millénaires, dans une chronologie qui fait commencer la modernité à Parménide ou Héraclite, l'Islam n'ajoute rien d'essentiel au judéo-christianisme ni, donc, l'islamisme politique à d'autres dictatures et hérésies.

Mais on peut aussi se rappeler le mot de Hobbes prophétisant des guerres qui seraient des guerres de philosophies.

On peut se souvenir des textes où Nietzsche annonce une modernité que dominera le choc des grandes religions.

On peut – sur un registre, évidemment, plus ordinaire – lire Samuel Huntington, autre universitaire américain, qui annonce un XXIe siècle où les hommes s'affronteront à travers des «conceptions du monde» : il y a eu, dit-il, et sa thèse vaut bien celle de Fukuyama, le temps des guerres entre princes (le siècle et demi qui suit le traité de Westphalie); puis entre peuples (la période qui va de la Révolution française à la Première Guerre mondiale); puis entre idéologies (l'époque des fascismes et des communismes); arrive le temps d'un type nouveau de guerres qui verront s'entrechoquer des Weltanschauung – à commencer par l'islamisme et l'idéal libéral.

Ce n'est toujours pas une preuve ? Non. Mais c'est déjà un argument. La théorie de la fin de l'Histoire bute sur ce fait, incontestable, qu'un nombre grandissant d'hommes, de peuples, de nations, contestent notre définition de l'universel; proposent, voire songent à imposer, la leur; et reprennent le flambeau que les marxistes ont laissé choir.

L'objection, maintenant.

L'événement n'échappe pas aux néo-hégéliens.

Ils voient – comment feraient-ils autrement ? – ce qui se passe en Bosnie, en Algérie, ailleurs. Ils entendent cette folle prétention à incarner le «vrai» universel et à destituer l'Occident de sa prétention à le monopoliser.

Et ils déploient tout un dispositif théorique, à la

fois très naïf et très savant, et qui est censé répondre à l'objection, la tourner, l'intégrer.

Primo : banaliser la situation; nier qu'il y ait rien là de si neuf, ni de si inédit – l'humanité en a vu d'autres ! le procès de Spinoza avant celui de Taslima Nasreen; le bûcher de Giordano Bruno avant la prison de Rushdie; et puis la guerre, toujours; la tuerie, depuis les commencements; cette loi, vieille comme le monde, des charniers et de leurs corps innommés...

Secundo : la marginaliser; ne voir dans ces conflits nouveaux que de vagues affaires indigènes à la frontière reculée de l'empire du Bien; à la lettre, des combats d'arrière-garde; au sens propre, des guerres de lisière; en aucun cas des ébranlements mettant en péril l'ordre mondial; la guerre de Bosnie est odieuse? le génocide rwandais, atroce? l'intégrisme bengalais meurtrier? ce ne sont que des guerres des confins, déconnectées des centres nerveux de la planète et sans véritable influence sur les tendances lourdes qui la portent; on pourrait, à la limite, débrancher; on pourrait, sans grand dommage, boucler l'Afrique, isoler le Bangla-Desh, décider que le sort des Balkans n'est pas celui de l'Europe; on peut, d'ores et déjà, juger que ces péripéties n'affectent pas le cours, ni le sort, de la grande Histoire.

Tertio : mettre les choses en perspective; rappeler qu'on est confronté là au très classique écart entre une idée régulatrice et une réalité concrète qui tarde à s'y ajuster – ruse de la raison; patience; longueur de temps; tous ces phénomènes qui nous émeuvent, ces drames, ces meurtres de masse, ne sont que les dernières perles lâchées par l'huître de l'Histoire; du neuf, dites-vous? allons! du vieux qui s'éternise; des paresses de l'esprit et du sens; l'Histoire est finie, oui; elle ne le sait ni toujours ni partout, mais le fait est qu'elle est finie; attendez que la nouvelle se répande; laissez circuler l'Evangile; faites que les antennes paraboliques envahissent Karachi ou Téhéran; inondez l'Afrique de marchandises; créez des banques à Moscou, des entrepreneurs à Belgrade – et vous verrez comme la planète rejoindra sa vérité, qui est d'être happée par l'ordre marchand triomphant!

On peut penser ce que l'on veut de chacun de ces trois gestes. On peut leur faire toutes les objections, locales, que l'on voudra. C'est surtout, au détail près, le dispositif conceptuel mobilisé par les marxistes quand, à l'époque de leur splendeur, ils avaient à gérer l'écart entre, d'un côté, la certitude de la révolution mondiale et, de l'autre, un drame, une souffrance, un accident de conjoncture, une irrégularité quelconque, qui retardaient l'inévitable : «illusion, disaient-ils; ruse de l'Histoire et de la raison; Dieu écrit droit avec des lignes courbes; on croit qu'il nous égare, que le sens s'est perdu en route : mais non; cela est dans l'ordre; vous souffrez, dites-vous? vous avez le sentiment d'une injustice, d'un mauvais sort? allons! ressaisissez-vous! prenez le bon point de vue; il y a toujours un point, dans le monde, d'où, si vous aviez le pouvoir, ou le talent de vous y poster, votre pauvre petite douleur apparaîtrait pour ce qu'elle est : une ombre, un semblant, une grimace du Bien et du Sens – du local, oui; du provisoire; un très provisoire écart, à nouveau, entre un désordre partiel et la perspective d'ensemble.»

Francis Fukuyama, en d'autres termes, était marxiste.

Ce conservateur bon teint, cet homme qui croyait, sincèrement, donner le coup de grâce à la doctrine vaincue, en reproduisait, à son insu, les gestes les plus décisifs.

Tous ceux qui, après lui, épousèrent le mouvement, tous ceux qui, de bonne foi, crurent, et croient encore, que l'intégrisme algérien est soluble dans le pétrole et celui des Iraniens dans les ondes de CNN, toute cette population d'experts et d'importants qui s'engouffrèrent dans la brèche et, de «colloque» en «sommet», de «symposium» en «forum», allèrent clamer leur conviction qu'il n'y a pas un conflit, une tension dans le monde d'aujourd'hui qui ne soit destiné à céder à l'amicale pression du dollar, du coca, du rock et des Levi's, tous ces libéraux restaient fidèles, comme lui, à ce qui fut le noyau dur de la théorie marxiste.

Et quant à nous, quant à ceux – et ils ne sont, heureusement, pas moins nombreux – qui voyaient dans ce noyau dur le cœur d'un appareil de pouvoir implacable, quant à tous les esprits libres qui avaient occupé une partie de leur vie à reconnaître dans le marxisme (et dans ce trait, notamment, du marxisme) un ferment, non de révolte, mais de servitude, pouvaient-ils, tous ceux-là, avoir dénoncé l'original et accepter l'ersatz ? avoir consacré tant d'énergie – et je parle de la plus rare, qui est celle de la pensée – à tenter de donner congé à l'illusion eschatologique pour la retrouver là, dans cette version affadie? Cette illusion messianique dont ils savaient les pièges, et le caractère meurtrier, devenait-elle brusquement acceptable sous prétexte qu'au lieu de la société sans classes elle nous promettait une société sans autres?

A l'évidence, non. Et c'est pourquoi toute doctrine qui, de près ou de loin, touche à l'idée de fin de l'Histoire est une doctrine qui ne nous promettra jamais que le pire: «cède sur ton désir; cède sur ton malheur; car tout cela est dans l'ordre.»

Le pari, enfin.

On touche là, on le sent bien, au domaine de l'infalsifiable absolu.

La théorie de la fin de l'Histoire n'est plus seulement fausse, elle est dangereuse.

Elle n'est pas exactement contestable, elle est pernicieuse et c'est parce qu'elle est pernicieuse qu'elle doit être contestée.

Parole contre parole.

Philosophie contre philosophie.

Ce moment, qui vient toujours, où il s'agit moins de choisir entre le vrai et le faux qu'entre deux doctrines qui ont, chacune, leurs titres et leurs fondements – mais dont l'une ne promet que servitude, désolation, mépris, alors que l'autre permet, commande au moins, d'y résister.

Peut-être y a-t-il, après tout, une psychopathologie du dévot de la fin de l'Histoire – et une psychopathologie de celui qui n'y croit pas.

Peut-être ne s'agit-il, à la fin des fins, que d'une

certaine qualité de réflexes, de tempéraments, de refus.

D'un côté, une forme de mélancolie curieusement teintée d'optimisme, une façon de dire: «tout est fini, les délais sont expirés, rien, plus rien, n'arrivera plus et l'espèce entre dans l'âge de sa dernière aventure» et puis d'ajouter aussitôt: «mais c'est la meilleure nouvelle qui soit, il n'y a pas de perspective plus réjouissante, car cette poussière de petites souffrances, cette agitation, ces guerres, tout cela va rentrer dans l'ordre et, en rentrant dans l'ordre, se dissoudre» – une certaine façon, en un mot, non plus de préférer un désordre à une injustice mais de dire de toute injustice qu'elle n'est, au fond, qu'un désordre.

Et puis il y a, en face, chez l'incroyant de la fin de l'Histoire, un autre rapport au temps, un autre régime de l'attente et de l'impatience, une autre qualité, en somme, de mélancolie : il sait que les choses ne s'arrangeront plus; il prend acte de ce que l'aventure humaine ne connaîtra jamais de trêve ni de terme; mais loin de voir dans cette fatalité prétexte à désespérer ou à se taire, c'est sa ressource au contraire, son ressort: puisqu'il n'y a plus de sens à la souffrance et qu'il n'existe plus, nulle part, de fable, ni de grand récit, capable de réduire ce qu'elle a d'insoutenable, que faire sinon se rendre attentif à cet insoutenable même, et à la colère des hommes, et à leurs incertaines révoltes? C'est le désordre qui, ici, et comme tel, devient une injustice.

Mettons que je sois de la seconde famille. Mettons qu'il y ait, dans la perspective d'une Histoire pacifiée, dans son arrogance et sa sérénité, dans le regard, surtout, qu'elle porte sur la misère humaine, quelque chose qui me révulse. Après quoi tout sera dit. Et la dispute pourra commencer.

4

Nuit et brouillard au Rwanda

Un dernier exemple.

J'ai scrupule à dire un exemple.

Car c'est évidemment beaucoup plus. C'est l'une des tragédies du XXe siècle. C'est la dernière en date de celles dont il aura été donné à nos générations de témoigner. C'est ce génocide du Rwanda sur lequel j'aurai d'ailleurs, plus d'une fois, à revenir – et sur lequel il faudra bien que l'époque elle-même revienne : ne fût-ce que pour établir la vérité; compter les morts; les nommer quand elle le pourra; identifier, à défaut des victimes, les coupables et, derrière les coupables, les responsables; établir notre rôle à nous, Français, ou Européens, qui continuions d'aller notre train tandis que se préparait, puis s'accomplissait, la destruction d'un peuple; ce génocide rwandais que l'on sent glisser, déjà, dans le gouffre de l'oubli et des « affaires classées », quand ce n'est pas dans celui du pur révisionnisme – et dont je voudrais, pour l'heure, tirer quelques leçons.

Soit, en effet, ces charniers. Ces cadavres de bébés découpés comme des poulets. Ces corps éventrés. Ces foules à l'agonie. Ces enfants martyrs, au visage de vieillards. Ces vieillards au regard fou, qui ont tué d'autres vieillards. Ces bourreaux terrorisés. Ces victimes assoiffées de vengeance. Ces nouveau-nés que l'on a épargnés, mais à qui l'on a tranché le talon d'Achille pour qu'ils ne puissent plus jamais marcher. Ce climat d'apocalypse. Ce monde – car c'en était un – en proie à un démon qui le précipitait dans les ténèbres.

Soit ce massacre. Il y avait face à lui, et derechef, deux attitudes possibles.

Celle des néo-hégéliens d'abord, qui était, sachons-le, celle de la plupart de nos diplomates, gouvernants, présidents, dirigeants d'organisations internationales, éminences humanitaires, gestionnaires du malheur, excellences diverses et variées, ministres.

Tout cela est horrible, répétaient-ils. Insupportable. Dites vite ce que l'on doit faire pour soulager un peu de cette misère. Mais un massacre, n'est-ce pas... Encore un massacre... Est-ce que ce n'est pas la loi de l'espèce, le massacre ? Sa routine ? Est-ce que ce n'est pas comme cela depuis la nuit des temps – et est-ce que ce ne le sera pas jusqu'à la fin des temps ?

L'éternelle boucherie. Ce « désir de tuer » dont parlait Freud dans sa correspondance avec Einstein, et qui fait de l'humanité une « bande d'assassins ». Cet ordinaire du crime, qui va de Babylone à Carthage et, pourquoi pas, jusqu'à Troie. Quoi de neuf, au Rwanda ? Quoi de plus monstrueux que cette guerre « si douce aux Achéens » ou que leur « furieux désir » de haïr, de se « massacrer les uns les autres » – leurs pieds et mains, dit *L'Iliade*, qui « frémissent d'ardeur » à l'idée de « se découper mutuellement la chair » ?

Rwanda, guerre de Troie. Rwanda, guerre banale. La bonne vieille pulsion génocidaire dont on savait qu'elle est, depuis les commencements du monde, la fidèle compagne des humains ; ne dit-on pas, au demeurant, que les victimes ont été promptes à se mettre à l'école des bourreaux et, leur Etat instauré, à se livrer au jeu hideux, mais éternel des représailles ?

Et puis il y a l'autre attitude, plus humble et plus tragique, soucieuse de la colère des faits plus que de la paresse des idées toutes faites – l'attitude de ceux qui, face à l'événement, confrontés à l'horreur de ces tas de cadavres et de ces amas de survivants, se refusèrent à réduire ce qu'ils voyaient à ce qu'ils avaient lu ou qu'avaient vu leurs devanciers. Un génocide classique, vraiment ? Ordinaire ? Un carnage semblable à tous les carnages et que l'on pouvait archiver, à ce titre, sans autre forme de procès ?

Que rien ne ressemble plus à un génocide qu'un autre génocide, c'est probable.

Que le Génocide comme tel ait ses lois et qu'il les ait au même titre que n'importe quel autre phénomène, qu'il y ait des lois du génocide comme il y a des lois de la guerre, ou de la démographie, ou une loi de la chute des corps, ou des lois de la thermodynamique, admettons-le aussi.

Mais il aura fallu beaucoup de mépris, ou d'ignorance calculée, ou encore de volonté de neutraliser, tout de suite, l'événement, il aura fallu toute l'épaisse bêtise, surtout, des tenants de la fin de l'Histoire pour accepter de s'en tenir là et de ne voir dans les pourrissoirs de Goma ou de Kigali que la répétition de ceux du passé.

Il y avait cette seconde attitude, donc, qui consistait, malgré l'horreur, malgré le dégoût et le désir, bien sûr, de détourner le regard, à rechercher, par-delà les répétitions, l'exception et, par-delà ce qui revenait, la part de l'événement qui n'appartenait, hélas, qu'à ce temps-ci; trois ou quatre traits, en fait, qui distinguaient ce génocide de tout ce dont le monde avait, dans cet ordre, fait l'expérience.

La rapidité, d'abord, il faudrait presque dire la productivité des massacreurs. Il y a des génocides qui ont fait plus de victimes. Aucun n'en avait fait autant (un million) en si peu de temps (six semaines). Aucun n'avait à ce point chauffé les âmes, affûté les armes et les esprits, préparé ses listes de suspects, identifié par avance ses victimes, attisé les passions, enflammé les communautés, aménagé des jeux de complicités, de complaisances, de relais, que sais-je? je ne parviens même pas, nul ne parvient, à imaginer par quel miracle technique on peut, en si peu de jours, tuer en si grand nombre. Le Rwanda n'est pas Auschwitz. Ni le Cambodge. Mais il a sa performance à lui, son record : le record du monde, horaire, du génocide.

Son style, ensuite, de propagation, j'allais dire de contamination. On croit, à cause de «Radio Mille Collines» et du rôle qu'elle a joué, être dans un schéma propagandiste classique. Or la radio n'explique pas tout. Il n'y a pas une voix au monde capable de faire, à elle seule, que tant de centaines de milliers d'hommes se soient, comme un seul homme, jetés sur des centaines de milliers d'autres afin de les anéantir. Je crois, il faut bien croire, qu'autre chose s'y est mêlé. Je crois, il faut bien croire, à un processus plus mystérieux, irréductible aux cheminements connus. Peut-être faudrait-il relire Tarde. Ou Le Bon. Peut-être faudrait-il revenir, *malgré tout*, à ce que le XIXe siècle disait de la psychologie des foules ou de certains phénomènes d'hypnose. Peut-être, au contraire, doit-on supposer des passions neuves, ou des sentiments inconnus, ou encore des sentiments connus, mais oubliés, et qui seraient revenus avec une force sans pareille – des alliages inédits de la peur et de la haine, de l'amour et de la phobie du semblable ou du différent. Peut-être est-ce Freud – le Freud de *Psychanalyse des foules et analyse du moi* – qui a, au contraire, et comme d'habitude, tout dit : érotique et panique, grégarisme et pulsion de mort, les masses devenues le siège des suggestions les plus éperdues, des contagions les plus foudroyantes. Peut-être la bonne image sera-t-elle celle des grandes épidémies de l'époque moderne – à commencer, bien sûr, par le Sida qui, dans le cas précis, était, d'ailleurs, beaucoup plus qu'une métaphore : ne murmure-t-on pas que l'essentiel des milices hutus, la majorité de ces hommes qui s'apprêtaient à provoquer l'une des plus grandes hécatombes de l'histoire du XXe siècle, étaient infectés par le mal et savaient qu'ils allaient mourir ? La société comme un corps sans défenses... La haine comme un virus... Et le massacre, alors, comme une contamination, désespérée mais fatale... Toutes les hypothèses sont permises. Toutes. Pourvu qu'elles rendent compte – ou permettent, au moins, d'approcher – de cette seconde singularité qu'était, au Rwanda, le style de dissémination de la passion génocidaire.

Le troisième. Tous les génocides de l'Histoire ont un chef. Une tête. Tous ont une figure de proue dont le charisme n'est, d'ailleurs, pas sans effet sur la vitesse, et l'allure, de la propagation. Dans certains cas – le Cambodge – on ne voit pas ce chef mais il tire de cette invisibilité un surcroît de mystère et de virulence. Dans d'autres – l'Allemagne – on ne voit que lui et c'est à cette omniprésence qu'il doit sa meurtrière puissance. Mais qu'il y ait un chef, que ce chef doive s'entendre au double sens de tête et d'autorité, qu'il soit comptable aux yeux de l'Histoire mais aussi, sur l'instant, aux yeux des assassins et des victimes, c'est une des constantes, ou des lois, du phénomène. Or voici un génocide. Il est énorme. C'est un génocide qui s'opère à une époque qui est celle, par excellence, des images et où il n'est pas un événement, un mouvement de foule ou d'opinion, un défilé de marins-pêcheurs, une manifestation lycéenne, une protestation, un lobby, qui ne se dote, aussitôt, de sa figure visible. Et l'extraordinaire est que c'est, justement, le seul mouvement de masse moderne sur lequel on n'ait pu, ni sur le moment, ni avec le recul, mettre une figure, un visage ou un nom.

Faites l'essai. Interrogez autour de vous. Sans doute

entendrez-vous dire que les cerveaux sont « connus ». Sans doute entendrez-vous même prononcer des noms – ceux, par exemple, de Christophe Nyandwidu ou du colonel Bagosora : mais qui, à part quelques journalistes, a entendu parler du colonel Bagosora ? et sait-on à quoi ressemble Christophe Nyandwidu ? Peut-être lirez-vous que des listes, non plus de victimes, mais de coupables existent, et pour cause ! dans les archives de tel ministère français : mais que l'on parle de « listes », qu'elles puissent avoir été gardées secrètes, qu'elles aient à être dévoilées et que l'on attende ce moment avec ce mélange d'appréhension, de gourmandise et d'effroi qui précède les coups de théâtre, c'est bien la preuve que les ordonnateurs du bain de sang sont restés, globalement, invisibles. Un génocide acéphale. Un génocide iconoclaste. Le premier génocide à rompre la loi, sacrée, de la tête, de l'image et de l'incarnation. Le premier qui soit le fait de cette masse « ouverte » et « sans Führer » dont Canetti voyait le modèle dans les deux scènes primitives que furent, à ses yeux, la manifestation contre le meurtre de Rathenau, puis, en 1927, l'incendie du Palais de Justice de Vienne – mais qui auront attendu, pour trouver leur vérité, le génocide du Rwanda.

Et puis ce dernier trait enfin, qui découle du précédent et tient à la qualité des coupables ou, mieux, à leur absence – troublante – de qualités. Les génocides, d'habitude, ont des exécutants. Il y a toujours des SS, des SA, une Angkar, des escadrons de la mort. Il y a, si nombreux soient-ils, des spécialistes de la boucherie qui font la sale besogne et ont, entre autres mérites, celui d'en exempter le peuple. Or rien de tel, là non plus. Rien qui ressemble à cette division du travail génocidaire. Car – tous les témoignages l'attestent – c'est le peuple entier, cette fois, qui a tué. C'est la communauté hutu, quasi unanime, qui a exécuté le programme. Il fallait que chacun, oui, ait un peu de sang tutsi sur les mains. Et que certains se soient dérobés, qu'une fraction du peuple hutu ait reculé devant l'ignominie de ce que l'on attendait d'elle, que la seconde ville du pays, Butare, ait refusé, pendant des semaines, de participer à la tuerie, qu'il y ait eu, dans certains villages, des groupes entiers d'hommes et de femmes qui aient tenté, coûte que coûte, de sortir du rang des meurtriers, ne change, hélas, rien à l'affaire puisqu'ils furent éliminés et allèrent rejoindre, dans les charniers, ceux qu'ils voulaient épargner.

Qu'est-ce qu'un génocide de masse ? C'est un génocide massif par le nombre des victimes – et là, le Rwanda n'innovait pas (nombre de victimes inférieur à celui de la Shoah ou même des génocides arménien et cambodgien). Mais c'est un génocide massif, aussi, par le nombre des assassins – et force est d'admettre que, sur ce point, il enrichit monstrueusement le genre (jamais un génocide ne mobilisa autant de bras, jamais il ne compromit, en si peu de temps, tant de coupables). Il faudra s'en souvenir le jour, si ce jour arrive, où l'on tentera de rendre justice aux disparus et de condamner leurs meurtriers : c'est notre conception de la faute, notre répugnance à concevoir l'idée d'une culpabilité collective, notre façon de juger, de peser les responsabilités et les torts, qu'il faudra revoir alors. Mais, pour l'heure, c'est la définition même de ce qu'est un génocide qu'il faut reconsidérer puisqu'elle s'augmente, sous nos yeux, de ce trait : un bourreau pour une victime; un bourreau derrière chaque victime; autant de bourreaux, ou presque, que de victimes désignées; schéma dont on conviendra qu'il ne nous est pas inconnu puisque c'est celui, à peu de chose près, de ce que l'on appelait, naguère, l'autogestion : le Rwanda invente, sous nos yeux, le génocide autogéré.

Alors, on peut, bien entendu, trouver ces traits négligeables.

On peut y voir des détails et considérer qu'à l'échelle de l'Histoire, dans cet océan de pus, de larmes et de sang qu'est la chronique de la douleur humaine, le fait qu'un génocide soit « autogéré », ou fonctionne à la « voix » plus qu'au « visage », n'a qu'une importance très relative.

Ce n'est pas mon avis.

Ou bien alors il fallait être logique et ne pas s'insurger non plus quand un néofasciste fameux vint nous dire : que les nazis aient, ou non, inventé les chambres à gaz pour y exterminer les six millions de Juifs n'était déjà qu'un « détail » dans l'histoire de la Seconde Guerre mondiale.

Pourquoi le mot nous choqua-t-il, alors, si fort?

Parce qu'il n'y a jamais de détails dans les affaires de cette nature.

Ou mieux : parce que tout se joue, au contraire, dans les détails et que les problèmes de méthode et de technique, la question de savoir comment on tue et à quel rythme, le choix d'un gaz ou d'un autre, des chambres ou des camions, tout cela était essentiel à la constitution du projet nazi : Claude Lanzmann n'en a-t-il pas fait l'axe, l'âme, le corps, de son grand film ?

Eh bien ce qui était vrai d'Auschwitz l'est, mutatis mutandis, du Rwanda. Et on ne peut pas tenir ferme sur le Zyklon B, on ne peut pas soutenir, non seulement (ce qui va de soi) que les chambres ont existé, mais (plus difficile) que cette existence fut constitutive de la nouveauté, et de l'horreur, du projet hitlérien, sans convenir que la loi vaut, également, pour Kigali et que le choix d'une procédure plutôt que d'une autre, le caractère « populaire » et « autogéré » de la tuerie, l'écrasement des visages par les voix, l'absence de figure visible propre à incarner le désastre, eurent, là aussi, une portée et une signification décisives.

Ce que cela signifiait, au juste ? Les historiens le diront. Peut-être, je l'espère, les juges. Pour moi, et d'ores et déjà, c'était le signe que l'Histoire repartait ; qu'elle produisait, ici aussi, du nouveau ; qu'elle n'en finissait pas d'improviser ; et qu'elle le faisait, non seulement en Europe, mais, plus inattendu, dans cette grande Afrique que l'on voulait croire assoupie.

Car soyons francs !

Combien étions-nous à soupçonner, sans vraiment le dire, que l'Histoire n'était pas tout à fait la chose du monde la mieux partagée et qu'il y avait des zones entières de la planète qui avaient quitté son orbite ?

Combien étions-nous à voir, fût-ce pour nous en indigner, ces zones comme de vastes pourrissoirs, ou des cloaques de la mort lente, définitivement désertés par les vents, bons ou mauvais, de l'Histoire ?

Lévi-Strauss et sa « pensée sauvage ».

L'anthropologie moderne et sa distinction entre « histoire chaude » et « histoire froide ».

Le racisme discret, mais éternel, de ceux qui s'étaient accoutumés à cette vision d'une Afrique sans destin où la politique devenait une région de la climatologie et où n'errait plus qu'une humanité amorphe – vie indistincte, mort indifférente, grands rythmes immobiles.

Il n'y a plus d'histoire froide, voilà l'enseignement. Il n'y en a, peut-être, jamais eu. Et ce que prouve le Rwanda c'est qu'il n'y aura bientôt plus une parcelle de ce monde qu'épargnera ce retour de l'Histoire, avec sa démence, sa barbarie et ces foules gigantesques qui dégringolent, soudain, dans le crime.

Deuxième partie

LA VOLONTÉ DE PURETÉ

1

L'internationale intégriste

Kigali. Russie. Bosnie. Algérie.

Le même moment. Notre moment. Cette conjoncture, la nôtre, puisqu'elle est celle du communisme finissant et de la supposée sortie de l'Histoire. Ces tragédies – suspendues, advenues – qui semblent hâter le pas et sont autant de défis lancés aux rêveurs post-hégéliens.

Un lien entre tout cela?

Un principe à ces situations?

Est-ce un hasard si ces figures de la barbarie surgissent toutes là, dans le même élan, ou y a-t-il un fil, et lequel, qui les rapproche et les apparente?

Je crois, oui, que le fil existe.

Ou, à défaut d'un fil, une catégorie conceptuelle qui permet de les réunir, ne fût-ce que par la pensée.

Ce fil, ou cette catégorie, ils portent un nom sublime qu'ils partagent avec quelques-uns des plus nobles états de l'âme.

C'est un nom, et une chose, qui se rencontrent

moins, d'ordinaire, chez les tueurs que chez les poètes, chez les génocidaires que chez les saints.

Ce pourrait être, c'est parfois, la plus haute des passions, et la plus insoupçonnable.

C'est une passion dont je n'ai cessé, d'ailleurs, dans mes romans comme dans mes essais, dans les parages de l'Ancien Testament comme dans ceux de la pensée-Baudelaire, d'interroger la trop belle et douteuse assurance.

Cette passion ambiguë, cette flamme indécise dont je m'avise qu'elle aura finalement été, depuis *La Barbarie à visage humain*, mon souci le plus constant et que je retrouve, à nouveau, ici, de Moscou à Alger, et de la Bosnie au Rwanda, dans ces lieux où l'Histoire revient alors qu'on la pensait finie, elle tient en un mot, très simple : la passion, le désir, *la volonté de pureté.*

D'abord, le Rwanda.

Il y avait, certes, la misère. La pénurie des terres et des richesses. Une lutte pour le pouvoir dont aucune analyse ne pouvait, ni ne peut, faire l'économie. Il y avait cette part de mystère, aussi, dans la violence même du génocide – dont aucune « catégorie » ne rendra tout à fait compte.

Mais le peu que nous savons de ce qui s'est produit et, surtout, dit, là, pendant ces semaines, les documents qui finissent par sortir, les témoignages des survivants, atteste d'une logique ou, si l'on préfère, d'un délire qui n'a pas grand-chose de commun avec une mécanique politique classique et dont on reconstitue sans grand mal les principaux enchaînements.

Angoisse identitaire des Hutus.

Rappel, obsessionnel, d'une ancienne et improbable intégrité.

Mobilisation de tout un discours ethnographique – d'origine essentiellement coloniale – attestant de cette intégrité perdue.

Transformation de l'autre – les Tutsis – en un groupe également pur, hétérogène au précédent, mais dont la présence, à l'intérieur du corps hutu, est vécue comme la cause de sa dégénérescence ou de son malaise.

Que cette hétérogénéité soit largement imaginaire, que les Tutsis et les Hutus ne se distinguent ni par la langue, ni par la culture, que cette fétichisation du clivage ethnique ne soit, bien souvent, que la reprise du vieux discours missionnaire du XIXe siècle avec ses divagations post-gobiniennes sur l'opposition millénaire d'une « africanité autochtone » dont les Hutus seraient les descendants et de ces « Aryens africanisés », fruit d'une très ancienne « coulée blanche », dont les Tutsis hériteraient, bref, que les Africains n'aient fait, en l'occurrence, que reprendre ce qu'il y avait de plus insensé dans notre regard raciste ne change rien à l'affaire.

Car le résultat est là.

Le drame, pour les Hutus, c'est la mixité.

La catastrophe, c'est le contact.

Les Tutsis sont-ils des hommes ? demande « Radio Mille Collines » – et, avant elle, le journal *Kangura* où s'exprimaient les extrémistes hutus, tant burundais que rwandais. Ce sont des « cancrelats ». Des « microbes ». Ce sont des « agents corrupteurs » qui séparent l'«ethnie» hutu de ce qu'elle croit être sa vérité. Et c'est pourquoi on va tout faire pour séparer celle-ci de ce qui la sépare d'elle-même.

Au commencement est la pureté. Le fantasme d'une pureté dont je répète qu'elle est, en grande partie, l'intériorisation du discours colonial. A partir de quoi la machine à purger, épurer, purifier, c'est-à-dire exterminer, va pouvoir accomplir sa besogne.

La Russie.

On commence à connaître, en Occident, le vrai visage d'un Jirinovski.

On le connaît sous l'aspect pittoresque, presque grotesque, de l'ivrogne en visite qui, en mars 94, répondit aux manifestants strasbourgeois venus l'interpeller en leur jetant, juché sur les grilles de son consulat, des mottes de terre à la figure.

Et on connaît aussi ses déclarations – moins pittoresques – sur Hitler (dont «l'idée de départ» n'était «pas si mauvaise»), la France (ce pays sous «influence américaine et sioniste», dont la capitale devient «une ville arabe»), l'arme atomique (attendez qu'il en dispose; vous verrez ce que vous verrez – et l'usage qu'il en fera contre «l'Allemagne, le Japon et la France»).

Ce que l'on sous-estime, en revanche, c'est le pouvoir dont il dispose, dès aujourd'hui, tant dans les couches populaires que dans ce qui subsiste des appareils militaro-policiers de l'ancienne statocratie soviétique.

Et ce que l'on ignore surtout c'est que ces propos apparemment délirants, ces mots que l'on traite comme s'ils étaient ceux d'un psychopathe, ont un substrat politique, idéologique, très cohérent.

Ce substrat? La haine de l'Europe. La phobie de l'Amérique. Un antisémitisme obsessionnel. La crainte des «foyers infectieux» – Jirinovski emploie le terme – qui ne cessent, depuis des siècles, d'empoisonner la sainte Russie. L'hypothèse, en d'autres termes, d'une «russité» primordiale qui pourra, certes, faire alliance avec telle ou telle autre culture (l'Islam par exemple) ou telle puissance (en gros les puissances asiatiques) mais non sans s'être, d'abord, purgée de la peste judéo-occidentale.

Contre les occidentalophiles, contre les héritiers de Herzen ou de Pouchkine, contre ceux qui croient possible d'être fidèles à la Russie sans oublier, pour autant, Pierre le Grand ni rayer Pétersbourg de la carte, contre tous les «décadents» qui s'imaginent que le salut viendra, pour la Russie, par la claire assomption de sa part européenne, contre les Lumières russes et l'héritage de Sakharov, contre le pari sur une Russie ouverte, mêlée, métissée – un pari sur une pureté, à nouveau imaginaire, mais dont la préservation sera la tâche prioritaire, nous dit-il, du national-communisme au pouvoir.

On sourit quand Jirinovski fait des maladies vénériennes un mal européen dont Staline aurait eu le mérite, en bouclant ses frontières, de préserver le pays.

On a tort. Car on est au cœur d'un dispositif métaphorique, qui est aussi un système théorique, et qui va très au-delà de l'homme, voire de la politique qu'il prétend mener, puisque c'est lui que l'on retrouve dans l'ensemble de la mouvance slavophile

– jusques et y compris chez un grand écrivain, longtemps exilé, dont le retour était attendu avec un mélange d'anxiété et de respect par tous les hommes libres de Russie et du monde : Alexandre Soljenitsyne.

Rien de commun, sans doute, entre le pitre et le prophète. Et quand le second fustige, dès son arrivée à Moscou, « l'insignifiance » du premier, quand il dénonce ses déclarations « saugrenues, criardes et folles », il faut le croire sur parole et, bien entendu, s'en féliciter. Mais qui niera, *en même temps*, que ses propos ne fassent parfois écho aux élucubrations de l'autre ? Qui ne discernerait dans ses impressions de retour en ex-URSS ou dans ses projets pour « réaménager » la Russie, des variations étrangement semblables ? Quand il chante son hymne à la bonne nature russe enfouie, quand il continue de voir dans la Sibérie l'asile immémorial de l'âme russe enchaînée, quand il s'entête dans sa slavophilie et dans le refus, hérité de Leontiev, d'un cosmopolitisme d'où serait venu tout le Mal, quand l'ancien dissident persiste à confondre dans le même opprobre la révolution communiste de 1917 et la révolution démocratique de 1905, quand il continue d'y voir deux accidents exogènes qui n'auraient pas entamé le cœur de la vraie Russie – comment ne pas songer qu'avec son génie, sa légende, son œuvre immense, il partage la même nostalgie d'une pureté perdue et participe, à ce titre, du même moment de l'histoire russe et, peut-être, européenne ?

La Bosnie.

La « purification ethnique » en Bosnie.

On la présente souvent, cette purification, comme un « élément » de la politique serbe.

On dit : « il y a eu, en Bosnie, une guerre de conquête ; il y a eu, chez les nationalistes serbes, la volonté, perverse, de construire une Grande Serbie où pourraient se rassembler tous les Serbes ; et il y avait un moyen, pour cela, qui était la purification ethnique. »

Or il faut renverser les choses : la « purification ethnique » n'était pas le moyen mais la fin ; ce n'était pas une pièce, odieuse, d'un dispositif qui, à la limite, pouvait fonctionner sans elle, c'était le dispositif même ; ce n'était pas une arme, certes hideuse, au service d'une guerre qui aurait eu sa logique, son programme et ses buts, c'était le but même, l'entier programme de la guerre ; et l'on aurait presque pu, en droit, déduire de ce seul but, et de son seul concept, tous les aspects du conflit, ses figures les plus scandaleuses, ses mystères aussi, et sa part d'ombre.

La haine des villes, par exemple.

Ce côté guerre des campagnes contre les villes, dont chacun put noter qu'il n'avait pas de signification réellement stratégique.

Ce meurtre rituel des villes dont parla Bogdan Bogdanovic, ancien maire de Belgrade et amant de Sarajevo, et qui, d'un strict point de vue militaire, du point de vue des forces engagées, de l'effort de guerre consenti, ne revêtait pas plus de sens que la priorité donnée par le système nazi, jusque pendant la bataille de Stalingrad, aux trains de déportés sur les convois militaires à destination du front de l'Est.

Il n'a de sens, ce meurtre des villes, que si l'on change de point de vue et que, passant du stratégique au symbolique, on comprend que les milices serbes avaient un but de guerre et un seul : effacer de la terre bosniaque tout ce qui pouvait témoigner d'un mélange, d'une mixité, d'une coexistence des communautés – et d'abord, bien sûr, Sarajevo, ville symbole de ce mélange, carrefour des cultures latine, slave, ottomane, autrichienne et signe, à ce titre, que la séparation était impossible.

Autre exemple : la culture.

Cette étrangeté d'une guerre dont l'un des *premiers* gestes aura été de détruire les lieux de culture de Sarajevo.

Ces bombardements méthodiques – et, en soi, inexplicables – des mosquées et des musées, des basiliques et des monastères.

L'autodafé, en une nuit, l'une des toutes premières de la guerre, de la célèbre bibliothèque – c'était le musée mystique de la ville, sa cathédrale profane et il n'en restait, au matin, que la voûte défoncée, quelques stucs, des arceaux calcinés, une carcasse désossée...

Haine, classique chez les fascistes, des lieux de mémoire et de culture ?

Le fameux « quand j'entends le mot culture, je sors mon pistolet » ?

Cela ne suffit pas. Et la seule raison qui tienne est, à nouveau, celle-ci : ces musées et ces monuments, ces bibliothèques et ces églises, l'Institut d'Orient, le centre théologique franciscain de Nedzerici, tous ces lieux recelaient d'inestimables archives ; et il y avait dans ces archives, dans ces collections de parchemins et de vieux livres, la trace et, donc, la preuve de ce prodigieux mélange qui fit, pendant des siècles, la vitalité de la civilisation bosniaque.

Deux conclusions alors, mais qui reviennent au même.

Soit : on ne pouvait pas vouloir la purification ethnique sans commencer par détruire ces traces, qui en étaient la négation vivante.

Soit : le fait d'avoir commencé par là, le fait d'avoir jugé essentiel, militairement prioritaire, de réduire en cendres les millions de vieux journaux stockés, depuis un siècle et demi, dans les caves de l'ancienne Assemblée et qui attestaient, eux aussi, de cette mémoire originairement mixte, démontre que le but de guerre était bien, en tant que tel, le projet purificateur.

On pourrait montrer que, de ce concept de purification, découlait un rapport particulier, et particulièrement névrotique, à la mémoire – voir l'affaire du Kosovo.

On pourrait soutenir qu'il impliquait un style de guerre qui était, en lui-même, assez nouveau – ne privilégiait-il pas inévitablement, au nom de l'impératif de « nettoyage », la guerre contre les civils ?

On pourrait expliquer qu'il en découlait une redéfinition, et de l'idée de nation, et de l'idée de citoyenneté : ce préjugé très ancien, qui n'avait plus droit de cité dans l'Europe de l'après-guerre, selon lequel ce serait la supposée communauté de « sang », de

« race » ou d'« ethnie » qui ferait, en réalité, titre pour habiter la terre.

La vérité c'est que tout, en Bosnie, commença par la purification ethnique – et que tout s'y achève.

Les nationaux-communistes serbes ont déclenché, au cœur de l'Europe, la première guerre de l'après-guerre – et ils n'ont eu besoin, pour accomplir leur forfait, que d'une certaine idée de la Pureté.

Et quant à l'Algérie enfin – et, derrière l'Algérie, tous les pays menacés, ou gagnés, par l'islamisme – ils sont aussi, et ô combien! malades d'une pureté dont il serait trop facile de ne rapporter le souci qu'au spectacle de la corruption, au demeurant éhontée, du pouvoir d'Etat FLN.

Un seul exemple : les assassinats d'intellectuels.

Je sais qu'il s'est trouvé de fins observateurs pour remarquer que la plupart de ces assassinats obéissaient, quand on y regardait de près, à une logique banalement politique.

Celui-ci – Hafid Senhadri – ne fut-il pas l'un des initiateurs, au lendemain des élections de 91, d'un « Comité national de sauvegarde » qui prétendait résister aux mollahs? Celui-là – Djilali Lyabes – ne fut-il pas ministre de l'Enseignement à l'époque où l'on écartait des écoles tous ceux qui, peu ou prou, touchaient à la mouvance du FIS? Merzag Baghtache n'avait-il pas pris publiquement position contre les « barbus »? Et Mustapha Abada, lorsqu'il était directeur de la télévision, n'était-il pas l'un de leurs plus farouches adversaires?

Je laisse à ces beaux esprits la responsabilité de

l'analyse. Et je préfère m'en tenir à ce que disent les auteurs mêmes des massacres; je préfère entendre de leur bouche, quand ils daignent s'en expliquer, ce que les responsables du FIS et du GIA reprochent à leurs victimes – et qui tient en cinq griefs, bien plus riches d'enseignement.

1. Les intellectuels assassinés parlent – et pensent – dans une langue, le français, qui n'est pas celle du Prophète ni de l'Oumma ressuscitée : il n'y a qu'une langue, disent les tueurs; cette langue est l'arabe; et que les cent trente-deux années de colonisation aient corrompu l'âme de cette langue est une raison, non de persévérer, mais de résister; mort, donc, à ces journalistes, écrivains, dramaturges dont la francophonie est une injure faite à la *propriété* de la parole arabe.

2. Ils lisent – et parfois écrivent – des livres qui ne sont ni le Coran ni la Sunna : or il n'y a qu'un livre, tonnent les mollahs; il est, ce livre, non seulement saint mais unique; comment, lorsque l'on tient un livre pareil, continuer de faire comme s'il pouvait y avoir d'autres livres? comment, quand on dispose de la propre parole de Dieu, continuer de s'intéresser au babil des humains? l'amour des livres est une offense; le goût de la pensée, une impiété; on châtie, en cette impiété, l'injure faite à l'*unicité* du livre des livres.

3. Ils s'intéressent parfois au Livre. Il leur arrive, oui, de porter leur infâme regard sur les divines sourates. Mais c'est pour le discuter, le critiquer, l'interpoler – n'y a-t-il pas des esprits assez pervers pour insinuer qu'il pourrait s'y trouver des versets dou-

teux, fautifs, voire sataniques? Or le Coran n'est pas seulement un livre unique : c'est aussi un livre parfait – impeccable bloc de Texte où il est, non seulement erroné, mais vain d'introduire le moindre tremblé; et c'est pour l'avoir oublié, c'est pour n'avoir pas compris que la lettre coranique est *inaltérable* que tant d'intellectuels, qui ne sont ni Salman Rushdie, ni Taslima Nasreen, sont menacés de mort, ou exécutés.

4. Ils acceptent parfois la Charia. Oui, oui, il leur arrive de consentir à ce que la vie de la Cité soit gouvernée par les savants préceptes. Mais voyez comme ils procèdent alors. Voyez comme ils introduisent le trouble, dans l'unité de la foi. Un islamiste est quelqu'un pour qui la Charia, comme le Coran, est un bloc. Et c'est au nom de cette certitude, au nom de l'incorruptibilité d'une Loi qui n'a pas varié depuis le premier siècle de l'Hégire, que l'on assassine, non seulement les clercs, mais les imams qui osent douter, dans un prêche, de cette *intemporalité* – et qui se demandent, par exemple, s'il est toujours nécessaire, pour être un bon musulman, de lapider les femmes adultères, de punir de mort l'apostasie, de trancher la main droite des voleurs ou de crucifier les auteurs de vol aggravé.

5. Et puis comment ne pas voir enfin que Tahar Djahout et M'hammed Boukhobza, Rabah Zenati et Djamel Bouhidel, le dramaturge Abdelkader Alloula, le directeur de l'école des Beaux-Arts, tous ces intellectuels égorgés sur leur palier, ou à la porte de leur immeuble, ou mitraillés, en pleine rue, à bout portant, étaient, par leur existence même, et aux yeux des fous de Dieu, une sorte de salissure sur l'unité imma-

culée de la Nation arabe? Leurs corps étaient des corps étrangers. Leurs âmes, d'insidieux poisons. Leurs manières, leur mode d'être, leur voix, le signe d'une confusion qui ne pouvait que dénaturer l'éternité de ce « haqq », mélange d'éthos et d'éthique, que la domination étrangère a bafoué, puis occulté, et que l'on va, enfin, pouvoir retrouver. On repérait un intellectuel, au Rwanda, à ce qu'il portait des lunettes. On le reconnaît, en Algérie, à une allure, une gestuelle, une façon de marcher, de se tenir, de se vêtir : un écart, imperceptible parfois – mais qui trahit, toujours, l'influence de l'Occident et une altération, nécessaire, dans la *limpidité* de l'Oumma.

Propriété, unicité, inaltérabilité, intemporalité, limpidité : ce sont les mots de la pureté; et c'est bien, chaque fois, au nom de cette pureté qu'au terme d'une traque obscure, et d'une interminable terreur, on finit par exécuter un homme dont le seul crime est de penser.

On appelle « intégriste », à Alger, cette folie de pureté.

On dit « intégrisme » pour une obsession de la pureté qui, avant de sortir les fusils, commence par interdire le rire, le port de la cravate, les applaudissements dans les meetings ou le serrement de main, au motif que ce sont des gestes occidentaux, donc toxiques – impurs, toujours.

On a raison de le faire.

On a raison, puisque c'est le même mot, d'identifier « intégrité » et « pureté ».

Et on a raison de dire de ces obsédés d'intégrité,

ou de pureté, qu'ils sont, au sens strict, des intégristes.

Mais il faut aller au bout, alors.

Il faut, si ce qui précède est exact, étendre l'acception du mot.

Il faut, chaque fois que cette intégrité, ou cette pureté, sont mises au poste de commandement, y voir le signe d'un intégrisme qui ne dit pas toujours son nom mais qu'il n'est, évidemment, pas interdit de reconnaître et désigner comme tel.

Il faut dire « intégrisme hutu », par exemple.

Il faut prendre l'habitude de parler d'un « intégrisme serbe ».

Il aurait fallu, dès le premier jour, comprendre que, si les mots ont un sens et que l'intégrisme est cette folie de pureté, les vrais intégristes de Sarajevo n'étaient pas les Musulmans mais les Serbes ; et il aurait fallu avertir que, si l'Islam bosniaque devait, par malheur, renoncer un jour à ses traditions séculaires de laïcité et de modernisme, s'il devait finir par céder, alors qu'il leur a toujours résisté, au chant des sirènes de ses propres, et rares, fondamentalistes, ce serait la dernière victoire des Serbes : ils ont inoculé la manie de l'intégrisme à la Bosnie et leur manie triompherait, partout, sur toute la ligne.

Il n'y a aucune raison, non plus, de ne pas parler de Jirinovski comme d'un « intégriste russe », au même titre que le Soudanais Hassan el-Tourabi ou qu'un dirigeant du FIS algérien.

Il y a toutes les raisons, autrement dit, de faire de cet intégrisme une catégorie générale qui, bien au-delà de l'Islam, et dans l'ordre laïc autant que sur le registre des religions, embrasserait l'ensemble de ces phénomènes et deviendrait une catégorie majeure de la raison – du délire – politique moderne.

Est-ce le mot que je cherchais ?

Est-il, cet intégrisme, le nom, énigmatique, de la chimère que l'on voyait prendre forme dans les alambics de la nouvelle Europe ?

C'est, à tout le moins, le lien.

Ou, en tout cas, le mot de l'époque.

Et s'il en fallait une preuve ultime, je la verrais dans la façon dont communiquent, se répondent et, souvent, s'entendent ces intégrismes.

Pourquoi Jirinovski tend-il la main aux Arabes les plus radicaux ?

Pourquoi Milosevic se sent-il proche de Jirinovski – et ne faut-il attribuer cette proximité qu'à la seule solidarité slave ?

Pourquoi, selon la très sérieuse enquête menée, après un an de guerre, par l'hebdomadaire *Spiegel*, cette trame de relations, notamment financières, entre les tenants de la Grande Serbie et des Etats fondamentalistes, ou terroristes, comme la Syrie ou la Libye – pourquoi les intégristes musulmans le soutiennent-ils, lui, Milosevic, au lieu, comme une analyse courte le penserait, de venir au secours du musulman Izetbegovic ?

Pourquoi le quotidien bosniaque *Oslobodjene* a-t-il spontanément pris parti pour le FPR au Rwanda – et pourquoi Radovan Karadzic a-t-il, de son côté, cru devoir déclarer qu'il trouvait « comique » la mobilisation de l'Occident en faveur des Tutsis massacrés ?

Pourquoi Jean-Marie Le Pen, dont on verra qu'il incarne une variante – française – de l'intégrisme, a-t-il soutenu à la fois Milosevic, Saddam Hussein, Jirinovski et même, plus récemment, à la surprise générale, le FIS algérien et ses revendications identitaires ?

A ces questions, une seule réponse.

Il y a une internationale intégriste. Et tous sont, à des titres divers, solidaires de cette internationale.

L'intégrisme comme volonté et représentation.

On dit « volonté de puissance » et « volonté de savoir ». Il faudra dire, aussi, « volonté de pureté » et y voir la constante, peut-être la loi, des temps où nous entrons.

De Kigali à la Russie, de la Bosnie martyre à l'Algérie en convulsions, une même tentation – vertigineuse : l'intégrisme.

Etrange maçonnerie où, par-delà les distinctions officielles et les dissentiments de surface, quelques secrets de famille, des mots de passe, une stratégie, rassemblent : que les niais perçoivent là des forces antagoniques, qu'ils n'y voient qu'une dispersion d'obscurantismes obéissant, chacun, à sa loi propre, distrait sûrement les membres de la secte ; ils savent, eux, la dévotion profonde, unique, qui les regroupe.

2

La variante communiste

Intégrisme contre communisme, alors ?

Faut-il écrire ainsi l'Histoire : l'intégrisme a pris la « suite », le « relais » du communisme ?

Et est-ce comme dans la gigogne des « modes de production » marxistes, ou comme dans la succession des « régimes » selon Aristote : un type de « système » qui succéderait à un autre et constituerait cette nouvelle menace, occultée par Fukuyama et les divers tenants de la fin de l'Histoire ?

Ce n'est pas cela non plus. C'est, surtout, plus compliqué. Car voici ce que l'on a trop peu dit de ce communisme supposé mourir. Si l'on continue de donner au mot son sens, si l'on prend à la lettre cette affaire de pureté, si l'on accepte, réellement, de faire de la volonté de pureté une catégorie à part entière de l'entendement politique moderne, si l'on se rappelle que l'intégrisme n'a jamais rien été d'autre que cette volonté poussée à l'extrême de sa mécanique et si l'on tente, enfin, de se remémorer ce qu'il y avait, justement, dans la volonté de ceux que l'on baptisait les marxistes – alors il faut admettre que le communisme lui-même était *déjà*, à sa façon, un intégrisme.

Même idée d'une origine pure, à laquelle il fallait revenir – ne fût-ce que sous la forme de cet Homme générique conceptualisé par le jeune Marx et aliéné par l'Histoire réelle.

Même image d'une fin tout aussi pure, car reproduisant cette origine pure, et rompant avec l'impureté d'une Histoire qui n'était plus que l'intervalle entre cette Origine et cette Fin.

Même fantasme d'un corps plein, purgé de ses éléments parasitaires – qu'ils fussent marqués au sceau de l'infamie bourgeoise, paysanne, lumpenprolétarienne : toutes « classes » ou « catégories » dont le monde communiste, pour s'édifier, devait commencer par s'épurer.

Et puis, plus troublant encore, plus décisif : même type de passion, de désir, il faudrait presque dire de ferveur, investi dans les grands engagements communistes de l'époque héroïque – et dans la plupart des intégrismes, même et surtout de nature religieuse.

Car enfin comment, et pourquoi, s'engageait-on ?

J'ai observé ailleurs, dans une « histoire des intellectuels » qui faisait déjà la part belle à cette affaire de « pureté », qu'il y eut, après 1917, deux façons bien distinctes et, au fond, antinomiques d'embrasser le communisme.

Un communisme athée, d'un côté. Un communisme cynique, sans foi ni aveu, un communisme de bêtes d'Etat dont le message était, en gros, que l'homme était lui-même une sale bête, qu'il fallait le domestiquer et que le communisme n'était pas, pour ce faire, la plus mauvaise des solutions. « Changer l'homme, s'étaient esclaffés quelques-uns des derniers staliniens que j'étais allé rencontrer, au lendemain de la chute du Mur, à Berlin ? Vous n'y pensez pas ! Il n'a jamais été question de cela ! Nous n'avons jamais poussé la naïveté jusqu'à nourrir ces songes enfantins ! L'homme est un mauvais loup, voilà la vérité, et il faut avoir raison de ses instincts mauvais. C'est à cela que nous servons. C'est à cela qu'a servi, et que pouvait encore servir, ce communisme à l'agonie – dont vous regretterez la défaite plus vite que vous ne le pensez. » Le communisme comme police. Le communisme comme dressage. Dans certains cas – les plus anciens, ceux dont l'engagement datait des années trente et de la montée du nazisme : le communisme comme lien social et ce lien social comme rempart contre les pires pulsions de l'espèce. Par son pessimisme absolu, par son absence d'illusions sur les capacités de perfectionnement de l'animal humain, ce communisme-ci était, à la limite, plus proche d'un libéralisme aronien bon teint que de la révolution façon gardes rouges.

Et puis, de l'autre côté, presque sans rapport avec le premier, au point que l'on s'étonne qu'ils aient pu porter le même nom et naviguer sous le même pavillon, un communisme enflammé, plein d'ardeur et d'enthousiasme : le communisme lyrique de ceux qui ont réellement cru que le monde changerait de base et que l'homme pouvait être transformé en ce qu'il a de plus profond. Un communisme naïf. Un communisme optimiste. Un communisme qui avait, lui, une vision enchantée de l'espèce. « L'homme est bon, disait-il ; il peut au moins le devenir ; et c'est tout le rôle du communisme de hâter la palingénésie. » Un communisme plus aimable ? Je ne suis pas sûr, non, qu'il ait été plus aimable. Je ne suis pas certain, surtout, qu'il n'ait pas fait plus de ravages encore que le despotisme épais, brejnevien, immoral, un peu pourri et, somme toute, paresseux, du premier. Mais c'est lui qui a embrasé les cœurs. Lui qui a suscité les adhésions. Lui qui a déclenché, notamment chez les intellectuels, les phénomènes de conversion les plus spectaculaires. Et c'est à lui que je pense quand je dis que ses mécanismes étaient – déjà – ceux d'un intégrisme.

Itinéraire de Gide. Ce Gide si prudent, que « l'honnêteté de l'esprit » avait toujours retenu, disait-il, d'adhérer au catholicisme et qui se rallie à un communisme dont il sait, comme ses contemporains, la part d'ombre et d'horreur. Ce qui le séduit ? Ce qui l'entraîne ? Il le dit dans un livre étrange, qui fait suite aux *Nourritures terrestres* et s'intitule *Les Nouvelles Nourritures* : un monde nouveau ; un monde régénéré ; un monde rendu à une forme d'innocence et de jaillissement dionysiaque ; un monde jeune, fondamentalement et merveilleusement jeune – dont le premier mérite est de rompre avec l'univers vieillissant des démocraties bourgeoises. Le communisme comme juvénisme.

Rolland. On le pense revenu de tout, Rolland – et, au moins, de toutes les illusions. Il est humaniste.

Au-dessus de la mêlée. C'est le prototype de l'intellectuel bourgeois, sceptique, un rien conformiste. Que lui arrive-t-il alors? Quel démon le saisit-il? C'est écrit – en toutes lettres, à nouveau – dans la trilogie de *L'Annonciatrice*. Marc, le «jeune loup». Assia, la «jeune chatte». Ces forbans vigoureux, ces barbares au grand cœur, dont l'énergie est comme un providentiel élixir pour les vitalités faillies. La vie. Oh! oui la vie! Encore et toujours la vie! Le parti de la vie contre celui de la décrépitude et de la mort! «Il ne faut pas que s'arrête l'élan de la vie. Tout ce qui s'arrête meurt et pourrit.» Le communisme comme vitalisme.

Barbusse. Le cas Barbusse. Le dandy barrésien d'avant 14, le wilsonien d'après 18, l'impeccable humaniste que rien, ni dans sa vie, ni dans son œuvre, ne disposait, non plus, à avaler les couleuvres du léninisme et qui les avale, pourtant, avec un appétit jamais démenti. Ce qu'il trouve, lui, à Moscou ? Ce qui fait qu'il y va, y retourne, et finit même par y mourir? Il faut lire, cette fois, son *Jésus*. Il faut lire son *Staline*, mais aussi son *Jésus* qui en est, manifestement, la clef. Staline c'est Jésus. Le communisme est le vrai christianisme. Le communisme est, plus exactement, une hérésie du christianisme. Et ce qu'elle dit, cette hérésie, c'est que le royaume de Dieu est de ce monde. Mystique laïque. Ferveur profane. Le communisme comme messianisme.

Il y aurait encore le cas Aragon, plus complexe, car évoluant, avec les années, vers une forme de cynisme. Mais le premier Aragon. Ou plutôt le second.

Celui qui rompt avec les surréalistes, rejoint le Parti et nous donne, de sa conversion, un si curieux récit où il se compare aux détenus de la colonie pénitentiaire de Bielomorstroï : le surréalisme était un crime, dit-il ; le communisme, une rédemption ; les intellectuels sont comme ces êtres des « bas-fonds » que l'on rééduque à Bielomorstroï et qui en sortent régénérés. Haine de soi. Haine de l'écrivain en soi. Désir, éperdu, de mettre son intelligence, et son art, dans les chaînes. Cet obscur désir d'expiation qui lui avait déjà fait brûler *Défense de l'infini*, condamner le roman, genre impur – et rallier le surréalisme qui était, *aussi*, une volonté de pureté : d'une pureté l'autre ; d'un châtiment au suivant ; et, pour l'heure, à la toute dernière phrase du texte, au terme de sa seconde *épreuve*, cette exclamation : « quand ma femme aimée me donnera un enfant, le premier mot que je lui apprendrai sera Staline. » Le communisme comme vengeance. Le communisme comme pénitence. Cette singulière passion qu'est l'anti-intellectualisme des grands intellectuels communistes.

Il y eut l'engagement castriste avec ce qu'il impliquait, lui aussi, de fascination pour le « réel » ou les « choses mêmes ». La sainte terre cubaine. Ses récoltes miraculeuses. Ses danses. Sa joie. Ce « haut lieu de la révolution et de la fête » dont parle Jean Daniel dans *Le Temps qui reste*. Et ces clercs aux mains trop blanches qui venaient, à La Havane, se mettre à l'école du monde nouveau. Le communisme comme santé. Le communisme comme authenticité. Il y avait, dans le communisme aussi, une obsession fondamentaliste.

Et quant à ma génération enfin – celle du gauchisme, dans sa version maoïste – ses plus éminents représentants ne nous ont-ils pas raconté, dans un beau livre, qu'ils furent animés par une passion mystique dont l'inspiration renouait avec les hérésies les plus radicales des premiers siècles chrétiens ? Rompre avec le monde, disaient-ils. Interrompre le cours des choses. Casser en deux le fil d'une Histoire qui n'a jamais été que celle du malheur. Il y avait, là encore, une espérance de ressourcement qui rappelait, en effet, celle des Parfaits de la Chrétienté. Le communisme comme angélisme. Le communisme comme ascèse. Le dernier communisme, comme montée aux extrêmes de cette aspiration mystique.

On pourrait multiplier les exemples. Les choisir plus ou moins fameux. Sortir du cadre français et même européen. Je sais que l'histoire de cet égarement ne saurait se réduire à celle des seuls intellectuels. Mais tout de même ! Les cas sont trop nombreux et les profils, surtout, trop différents pour qu'on ne voie se composer le tableau. Juvénisme et vitalisme... Cette haine de la pensée et cette fièvre tellurique... Ce goût de l'ascèse... Cette mystique... Il faudrait être sourd pour ne pas sentir, à travers ces quelques récits, l'entêtement d'une même volonté, qui est une volonté de pureté – et il faudrait être aveugle pour ne pas voir, dans ce communisme qui prétendait à la nouveauté, une autre variante, assez accomplie, de ce que, en toute rigueur, il faut bien appeler l'intégrisme.

De là, d'ailleurs, quelques évidences dont il serait bon de s'aviser avant de prendre congé de l'époque – et si l'on veut, surtout, s'assurer de ce congé.

1. Personne n'a jamais adhéré au communisme à cause de Marx, de la lutte des classes, de la doctrine de la paupérisation absolue ou de la puissance théorique du *Capital*. On l'a dit. On l'a cru. Peut-être certains se sont-ils sincèrement imaginé qu'ils entraient dans cette aventure par « raison » ou par « intérêt ». Mais la vérité – dévoilée par ceux, donc, que leur métier incline à raconter – c'est que l'affaire s'enracinait dans des passions autrement plus troubles, obscures, élémentaires. Il y a des passions premières en politique, comme il y a des nombres premiers en mathématiques. Et ce sont ces passions premières qui, même lorsqu'on n'en parle pas, même lorsque ce ne sont pas elles qui paraissent sur le devant de la scène ou de la conscience, ont constitué, de bout en bout, le nœud.

2. Ces passions ne sont pas seulement élémentaires, obscures, etc. Elles sont surtout – et comme toujours, quand on touche à la pureté – terriblement attirantes et flatteuses. Seriez-vous contre la vie, par hasard? Pour la mort, contre la vie? Pour les vieux contre les jeunes? Avez-vous à redire à cet angélisme qui fait que des hommes se mettent en quête de l'impossible, de l'absolu? Et déconseilleriez-vous aux intellectuels de quitter leur tour d'ivoire pour se mettre à l'école de la vie, du peuple et du réel? Non? A la bonne heure! Vous voyez bien que vous étiez communistes. Vous voyez bien que, en un sens, vous l'êtes toujours. On ne pouvait pas ne pas être communiste. Le commu-

nisme était – reste? – la plus irrésistible des tentations.

3. On peut, à partir de là, faire tomber le mur de Berlin, traquer les derniers agents de la Stasi, on peut démonter le marxisme, dénoncer la théorie léniniste de l'impérialisme, on peut même – c'est le plus navrant – connaître les turpitudes du communisme passé, prévoir celles du futur, on peut se réciter, chaque matin, comme un bréviaire, et pour être bien certain de ne pas les oublier, la liste des camps du Goulag. Cela ne change rien. C'est *malgré* cela que l'on a adhéré. Ce n'est pas *à cause* de cela que l'on va rompre. Et la vérité est que nul n'a pu, ne peut, ni ne pourra, se targuer d'avoir rompu, tant qu'il n'en aura pas fini avec ce stock de passions premières. On n'en a jamais fini avec les passions premières? Justement. C'est peut-être que, d'une certaine façon, on n'en aura jamais, non plus, fini avec le communisme.

4. Son retour alors? Son regain? Mais oui! Forcément. Puisque la matrice est toujours là, et que l'on n'a touché ni à la source ni aux canaux principaux... Les gens s'étonnent par exemple de le voir revenir en Pologne ou en Hongrie. Ils disent : «comment? on ne comprend plus; on croyait qu'il était mort; tombé avec le Mur; on pensait qu'il s'était volatilisé comme un mauvais rêve ou un mirage; et voici le mirage qui reprend forme, retrouve sa consistance et qui, comble d'audace, ne recule même pas, pour ce faire, devant les moyens légaux, c'est-à-dire électoraux.» C'est leur étonnement qui étonne. Car le communisme ne revient pas. Il n'est jamais parti. Et il ne partira pas, tant que l'on n'aura pas identifié, et tari, ses sources

vives. J'ai dit ce que je pensais de la métaphore de la décongélation. J'ai dit combien me semblait fausse, et périlleuse, cette idée d'une démocratie – ou, au contraire, d'un populisme – conservée, tel l'homme à l'oreille cassée d'Edmond About, par le grand froid du communisme. Et si on inversait l'image? si c'était le communisme qui, sous nos yeux, s'était recongelé? si c'était lui, l'homme à l'oreille cassée? si les paroles gelées de Rabelais étaient, dorénavant, les siennes? Image, terrifiante, d'un réacteur tchernobylien, mal muré dans nos mémoires, qui continuerait d'émettre ses redoutables radiations...

5. Sa succession enfin. Sa métamorphose. Imaginons, oui, qu'il finisse tout de même par mourir – ce qui, encore une fois, ne me paraît pas si assuré. Ce sera désir contre désir. Passions contre passions. Il faudra – si ces passions demeurent – lui opposer un dispositif aussi puissant, capable des mêmes performances. Il faudra un vitalisme et un juvénisme. Une haine de la pensée et une propension à l'ascèse. Il faudra, dans l'ordre que l'on voudra, les mêmes passions «premières», le même faisceau d'affects qui ont fait la force du communisme et dont il cesserait d'être le truchement. Le communisme était un intégrisme. Il était un intégrisme parmi d'autres intégrismes. Aussi ne pourra-t-il être remplacé, s'il doit l'être, que par un *autre* intégrisme capable de recycler, ou de réorganiser, les atomes de sa formule. Et c'est pourquoi le mot exact n'était pas: «l'intégrisme *succède* au communisme, prend sa suite, son relais, etc.» Mais: «le communisme a été un moment de l'histoire des intégrismes; c'est un inté-

grisme qui a réussi, puis qui a, sans doute, échoué – et dont l'énergie va se réinvestir dans de nouvelles figures qui seront, encore et toujours, des figures de l'intégrisme. »

6. Qu'est-ce qui fait qu'un intégrisme échoue? C'est une autre histoire. C'est peut-être *toute* l'histoire. La confusion qui revient. La récurrence du vice et du mal. Ce mauvais génie du monde, qui fait que l'extase ne dure pas. La médiocrité qui renaît. La pourriture qui remonte. Tous ces miasmes, que l'on avait refoulés, et qui finissent par refluer. C'est toujours la mort qui gagne, disait Staline qui s'y connaissait en intégrismes et savait comment ils finissent. La difficulté, aussi, de la tâche. L'extrême tension requise. L'épuisement des hommes. La fragilité du désir lui-même. Les âmes défaites. Les corps qui lâchent. L'âpreté de ces passions que l'on ne peut déchaîner sans prendre le risque d'être emporté. Cette loi, oui, de la machine qu'il faut arrêter si l'on ne veut pas être purgé aussi. Voilà. C'est ainsi. Le communisme a été cet intégrisme. Il l'a été, j'y insiste, au même titre que, mettons, l'islamisme. Aujourd'hui, il succombe. Il cède – ou semble céder – à la force de la corruption qu'il finissait par générer. Et peu importe, à la limite, cette autre histoire qui serait celle de sa rechute et de sa chute, et des raisons qui y ont présidé. Il meurt, voilà ce qui importe; s'il meurt, il doit renaître; il ne peut, en vérité, que mourir pour renaître et il ne peut renaître, quand il renaît, que dans l'enveloppe d'un autre intégrisme.

7. Par exemple? Eh bien précisément. Par exemple l'islamisme. Le national-communisme serbe fait,

bien entendu, l'affaire. L'intégrisme hutu, aussi. Et le fondamentalisme russe pourrait apparaître, avec le temps, comme un très honorable substitut. Mais enfin... Quelque chose me dit que le meilleur candidat est peut-être l'islamisme. Ce sont des signes, dans l'air du temps, qui indiquent que le mieux équipé, le plus vaillant et, surtout, le plus décidé à prendre la relève – c'est-à-dire, au sens propre, à dépasser et conserver – reste l'intégrisme tendance Islam. Et j'en veux, sinon pour preuve, du moins pour symptôme, ou aveu, cet étonnant document que fut, au début de l'été 1994, le dialogue de F.O. Giesbert, directeur du *Figaro,* et Ali Akbar Hachemi Rafsandjani, président de la République islamique d'Iran. Question : que répondez-vous à ceux qui reprochent à « l'intégrisme islamique » d'avoir « remplacé » le communisme soviétique ? Ali Akbar Hachemi Rafsandjani : « c'est un peu vrai que l'islamisme remplacera le communisme » – mais à cette double réserve près que nous sommes, nous, les islamistes, « plus avancés » en « matière de justice » et que, étant, par ailleurs, les inventeurs du concept de « modération » nous allons sans doute accoucher d'un communisme « modéré ».

Tout est dit.

Le communisme était un intégrisme.

Le national-communisme, le fondamentalisme hutu, le panslavisme et, surtout, l'islamisme sont de nouveaux intégrismes qui, chacun à sa façon, continuent, et déplacent, le combat.

Mon hypothèse, alors.

Le siècle qui s'achève a fait largement usage du

concept de «totalitarisme». Et il nous a rendu, ce concept, de signalés services – ne serait-ce qu'en nous permettant de penser le rapport entre les deux barbaries de l'ancienne époque : le nazisme et le communisme.

Le siècle qui commence voit naître des barbaries dont j'ai assez dit qu'elles étaient, au moins en partie, inédites. Si nous voulons tenter de les penser à leur tour, si le but est de mesurer ce qu'elles ont de réellement nouveau, si l'enjeu politique, et philosophique, de cette époque-ci est d'apprécier le rapport, non plus du nazisme et du communisme, mais de ceux-ci et de ces barbaries nouvelles (et aussi, bien entendu, de ces barbaries nouvelles entre elles), bref si *la* question du moment devient celle de savoir ce que l'islamisme par exemple, ou le national-communisme serbe, ont en commun avec le vieux communisme et ce qui les en sépare, en quoi ils s'y rattachent et par où ils s'en détachent, alors il faut changer d'outil et, au concept de totalitarisme, substituer celui d'intégrisme.

Totalitarisme et XXe siècle.

Intégrisme et XXIe siècle.

Nouveau mot, pour nouveau siècle

Nouveau concept, pour temps nouveaux.

Veut-on, vraiment, changer de temps ? Entrer, pour de bon, dans le temps qui vient ? Une seule solution : la volonté de pureté, qui en sera, hélas, le maître-mot.

3

Pol Pot, Savonarole, Saint-Just et quelques autres

Seulement ces âges-là ?

Faut-il dire : la volonté de pureté est le propre de cette saison de l'esprit qu'ont marquée le communisme, puis le nazisme, puis les fondamentalismes contemporains ?

Et le concept n'est-il opératoire que pour rassembler et séparer, affilier et dissocier, les barbaries du dernier siècle et celles du prochain?

Ce n'est pas cela non plus. C'est, de nouveau, plus compliqué. Et il faut aller plus loin encore – et dans l'analyse, et dans le temps ; il faut faire un pas de plus – et dans l'argument, et dans le concept.

Soit la volonté de pureté, donc.

C'est-à-dire, je le répète, l'intégrisme.

Je ne pense, évidemment, pas à ce que les moralistes appellent la « pureté de l'âme ».

Je ne pense pas, car c'est l'affaire de chacun, à cette pureté de « sentiment » dont le contraire serait le mensonge, la ruse, l'imposture.

J'écarte la pureté des mystiques et des saints – celle dont les Eglises tiennent à nous dire qu'elle est, plus que jamais, l'affaire de chaque âme : dialogue entre soi et soi; commerce entre soi et Dieu; et commerce difficile, terriblement ardu, dont très peu d'hommes, nous prévient-on, peuvent soutenir l'ascèse et auquel il est recommandé de ne se livrer (ô sagesse de la Chrétienté !) que dans l'enclos d'un monastère, soigneusement retranché du siècle.

Je parle de la pureté en politique.

Je parle de ce qui advient quand la pureté, justement, rompt la clôture monastique pour envahir la Cité et s'imposer à tous.

Et ce que j'entends montrer, c'est, d'une part, que cette pureté-là, cette irrésistible tentation de socialiser l'ascèse, n'est pas le privilège de l'époque et n'a pas attendu Kigali, la Bosnie, la Russie, l'Algérie, pour exercer ses attraits; mais c'est aussi, et surtout, que chaque fois qu'elle l'a fait, sous quelques cieux qu'elle ait triomphé, dans les temps proches comme dans les temps très reculés, elle s'est régulièrement soldée par les plus grandes calamités – preuve que c'est bien elle, la pureté, qui, parce qu'elle est la pureté, en vertu d'une mécanique constante, et non pas du fait d'on ne sait quel accident qui tiendrait à la couleur de l'époque ou à ses péripéties, répand, lorsqu'on la laisse s'imposer, la mort et le malheur autour d'elle.

Le communisme encore.

Un dernier mot sur le communisme.

N'ai-je pas dit de son histoire qu'elle était inépuisable ?

On sait que, dans la suite de ses forfaits, il y eut un moment, sombre entre tous, qui commença avec la révolution culturelle chinoise (vingt millions de morts, au bas mot, en cinq ans de feu roulant contre les quartiers généraux de la bureaucratie et de la culture) et s'acheva, en apocalypse noire, avec la révolution cambodgienne (un tiers, peut-être la moitié, du peuple khmer sacrifié sur l'autel de la folie de ses dirigeants).

Or quelle fut la singularité de ce moment ?

Qu'est-ce que Pol Pot avait dans la tête – qu'avait-il, si j'ose dire, de plus qu'un autre communiste – lorsqu'il s'offrait en holocauste ces deux ou trois millions d'hommes et de femmes ?

L'obsession de la pureté.

Un surcroît, un excès, un comble de pureté.

Toutes les révolutions, déclare-t-il à peu près, ont été, jusqu'à moi, des révolutions impures.

Elles ont pris le pouvoir, certes. Changé les structures de l'Etat. Elles ont provoqué dans l'économie, la société, parfois les mœurs, des ébranlements inestimables. Mais ce qui les rend si décevantes et qui fait, surtout, qu'elles ont échoué, c'est qu'elles n'ont jamais touché aux vrais ressorts de la servitude : ces racines qui poussent à l'intérieur des têtes et qui, tant que l'on n'a pas su, ni voulu, les éradiquer, reproduisent à l'infini leurs fleurs maléfiques.

Alors c'est ce qu'il fait. C'est à quoi, pour la première fois, il s'attelle. Il va aller dans les têtes, au fond des cœurs et des âmes, dans les zones les plus reculées où se forgent les liens de la soumission, pour les trancher à la racine.

Le pouvoir, par exemple, c'est la langue; nul n'ignore – depuis, au moins, La Boétie – que la structure même d'une langue induit des effets de maîtrise et que le maître est toujours un peu grammairien. Donc, Pol Pot va changer la langue, proscrire des mots, en inventer d'autres – et décider d'un alphabet nouveau.

Le pouvoir c'est le désir; il est déjà là, le pouvoir – les freudiens nous l'ont assez dit! mais les poètes le savaient déjà, et les romanciers, et les amants... – dès l'instant où, entre deux êtres, se noue ce drôle de lien qu'on appelle un lien de désir. Alors il taille dans le désir, travaille la chair et les rites du désir. Il impose la chasteté aux uns. Réglemente la copulation des autres. Il entreprend de réformer, non seulement le mariage, mais le régime même du sexe et de ses entraînements.

Le pouvoir c'est le partage entre ceux qui savent et ceux qui ne savent pas? les contemplatifs et les actifs? les hommes des villes et ceux des campagnes? Mais oui. C'est ainsi depuis la nuit des temps. Eh bien qu'à cela ne tienne. Nuit cambodgienne contre nuit des temps. Révolution polpotienne contre prétendue fatalité de ces clivages immémoriaux. Pol Pot vide les villes, humilie les citadins, met les intellectuels au travail et, avant de les tuer, leur lave le cerveau en leur faisant épandre de la merde humaine dans les rizières.

Bref il fait une révolution pure. Il fait la première révolution vraiment pure de l'histoire de l'humanité. Et c'est au nom de cette pureté, au nom de cet homme pur parce que issu d'une révolution pure, qu'il déclenche la catrastrophe.

Maximum de pureté, maximum de barbarie.
Pureté absolue, génocide quasi absolu.
Jamais le communisme ne s'était voulu si pur, jamais il ne sera plus assassin.

Le nazisme.
Qu'est-ce que le nazisme ? C'est un antisémitisme. Il est, cet antisémitisme, non pas accessoire, mais constitutif – et c'est pourquoi il faut dire : « le nazisme, *c'est* un antisémitisme. »
Or qu'est-ce, à son tour, qu'un antisémitisme ? Et qu'est-ce, notamment, que *cet* antisémitisme – quel est ce « Juif » dont il fait sa cible, sa proie, son obsession ? C'est, comme toujours, et *aussi*, un objet construit. C'est un être de chair, bien entendu, dont la chair partira en cendres et en fumée ; mais c'est *aussi* un être de raison, bâti sur un patron de mots, ou un canevas de fantasmes. Et ces fantasmes s'organisent autour de trois grandes chaînes de métaphores qui furent autant de traînées de poudre explosant dans les cervelles allemandes et provoquant, parce qu'elles la justifiaient, cette forme inouïe de la persécution.
1. Le registre bacillaire : le Juif, dans *Mein Kampf*, est systématiquement présenté comme un « germe », un « pou », une « bactérie », un « poison », une « toxine ».
2. Le registre infectieux : ce bacille ne tarde jamais – ce sont, encore, les mots de *Mein Kampf* – à s'« infecter », s'« envenimer », faire « abcès », « tumeur », ou « plaie ».
3. Le registre épidémique : l'infection gagne ; elle se répand ; le problème, avec les Juifs, c'est que c'est

comme une «peste» (toujours un mot de *Mein Kampf*) qui n'a pas son pareil pour galoper, flamboyer à travers le corps social et y disséminer ses vices.

La société est bonne, autrement dit.

Elle est originairement saine.

Avant le Juif impur, avant ce pus, cette suppuration, puis cette gangrène, il y avait l'admirable santé de la race aryenne qu'il a corrompue.

En sorte que si on tue les Juifs, c'est moins par manie que par besoin; par délire que par raison; ce n'est même pas par haine! non! non! le cœur nazi, à l'entendre, ne connaît pas la haine! c'est par amour au contraire – mais amour de cette pureté «völkisch» dont tout le but de l'entreprise est de retrouver la première candeur.

Nazis par pureté.

Nazisme et volonté de pureté.

Il faudrait relire tous les textes canoniques du nazisme, reprendre tous ses programmes et toute cette littérature de propagande accumulée, avant la prise du pouvoir, et parfois après, par les Goebbels, les Rosenberg et il faudrait y relever les traces de cette autre constellation métaphorique – positive, elle, et qui se veut lumineuse, puisqu'elle désigne, justement, cette virginité perdue de l'Allemagne aryenne.

Il faudrait lire Céline aussi, mais *l'autre* Céline, celui des *Beaux Draps*, de *L'Ecole des cadavres* et de *Bagatelles pour un massacre* : ces pamphlets odieux bien sûr, suant l'abjection et la haine, mais dont Philippe Muray a pu montrer que ce sont *aussi* les livres les plus positifs de l'auteur – les seuls où il se laisse aller à imaginer un monde idéal, un modèle de bonne société, un socialisme même; oui le Céline antisémite, celui qui éructe, en pleine Occupation, contre le pouvoir de la «Synagogue», est aussi, dans le même mouvement, l'inventeur d'un socialisme national qu'il baptise, drôlement, le «socialisme Labiche» et qui, pour s'incarner, n'attend qu'une chose : que la douce terre de France soit délivrée de sa peste juive...

Le nazisme était un intégrisme.

Il était, comme tous les intégrismes, animé du double souci de restaurer une pureté perdue et d'éliminer, à cette fin, le supposé agent corrupteur.

Où l'on découvre un autre point de rencontre avec le communisme : le totalitarisme? oui, sans doute, le totalitarisme; mais, aussi, cet intégrisme; cette manie prophylactique; cette volonté mise en commun, qui est la volonté de pureté.

Et où l'on devine, surtout, que l'antisémitisme est l'horizon le plus constant de toutes les conceptions de la société qui raisonnent en termes de pureté : écoutez; observez; vous verrez comme, dès que l'on se met en tête de trouver un responsable à la présente impureté du monde, on finit toujours par croiser la figure emblématique de la corruption par le judaïsme et par les Juifs.

L'antisémitisme, cet intégrisme.

Pas d'intégrisme qui ne soit, tôt ou tard, forcément, antisémite.

La Révolution française.

Il n'y a pas deux révolutions françaises, c'est entendu.

Mais enfin il y a deux moments, deux courants et, du reste, deux héritages à l'intérieur de cet événement complexe, stratifié, multiple, que l'on appelle, à tort, « la » Révolution française.

Or qu'est-ce qui distingue ces deux moments ? Qu'est-ce qui sépare un Girondin d'un Montagnard ? Et qu'est-ce qui, dans l'histoire même de la Montagne, décide de la Terreur et fait qu'un Saint-Just, le Saint-Just encore modéré qui, en 1790, dans *L'Esprit de la Révolution*, dit l'horreur que lui inspire le spectacle de ce « peuple » en train de « porter la tête des plus odieux personnages au bout des lances, boire leur sang, leur arracher le cœur et le manger » – qu'est-ce qui fait que le même Saint-Just justifie, et épouse, ensuite, les exaltations populaires les plus meurtrières, accable les Indulgents, s'étonne qu'ils soient, comme il dit, « dans la nature », prend l'initiative de condamner, sans l'ombre d'une preuve et parce que les dieux du « peuple », justement, n'en finissent pas d'avoir soif, Hérault de Séchelles et tant d'autres, d'où vient qu'il soit devenu ce tueur dont il a finalement laissé l'image ?

Réponse : la pureté encore.

La pureté, plus que jamais.

Brissot, Vergniaud, Danton, sont des hommes de compromis, parfois dépravés ou faisandés – ce sont des hommes résignés à cette part de l'Homme (et de l'Homme en eux) qui est fatalement mauvaise, immorale, pécheresse, *impure.*

Alors que quand Saint-Just paraît, quand le second Saint-Just se dresse et lance à l'Assemblée ou, plus exactement, à Barère son fameux « Une nation ne se régénère que sur des monceaux de cadavres», l'important, à ses yeux, ce ne sont pas les cadavres, c'est la régénération : cette idée neuve (neuve comme le bonheur...) d'un monde que l'on délivrera du mal, du péché, de l'immoralité – même s'il doit le payer au prix le plus fort : celui de ces monceaux d'hommes convaincus, voire soupçonnés, d'impureté et, à partir de là, cadavérisés.

Saint-Just l'archange *et* le terroriste.

Saint-Just et son nom étrangement, *doublement*, prédestiné.

Le même Saint-Just, le même Robespierre, qui, le matin, convoquent des théories de pures jeunes filles, le front ceint de lauriers, aux cérémonies de l'Etre suprême et signent, la nuit venue, les actes d'accusation du lendemain.

C'est le même procès. Ce sont les deux grimaces d'un même visage. Ils deviennent fous, les incorruptibles, à l'instant très précis où cette idée de Pureté l'emporte sur toutes les autres, les envahit, les submerge.

Pauvre Robespierre qui, le 8 thermidor, lorsqu'il s'adresse pour l'avant-dernière fois à l'assemblée qui va le trahir, menace encore les «hommes impurs» des foudres de sa pureté.

Et quel aveu – quelle dérision *et* quel aveu – lorsque, le lendemain, à quelques heures de la chute, il se tourne vers ce fameux Marais, au nom lui aussi prédestiné, et qui était, depuis le premier jour, cette réserve d'impureté où l'on allait puiser, régulièrement, de quoi alimenter le fantasme régénérateur, et lance : «c'est à vous, hommes purs, que je m'adresse...»

Tueur par pureté.

Tué quand sa propre volonté de pureté, devenue folle, finit par se retourner contre lui.

On ne comprend rien à cette Révolution française, rien à ce qui distingue sa ligne « droits de l'homme » de sa ligne « guillotine », rien, non plus, à la façon dont elle anticipe d'autres types de désastre (le nazisme justement, le communisme), si l'on ne prend la mesure du dégât qu'y fit la volonté de pureté.

Le terrorisme, encore un intégrisme.

Le catholicisme.

Nul, mieux qu'un catholique, ne sait les dangers de la pureté.

Nul, plus que lui, ne s'assigne le devoir de lutter contre une volonté dont il sait qu'elle est la forme générique de toutes les hérésies.

Un exemple d'hérésie. Fénelon et Madame Guyon. La querelle du pur amour. Ces « trembleurs » et soi-disant « quiétistes » que dénonce inlassablement Bossuet. Sagesse de l'Eglise qui voit dans cette débauche de pureté un danger de « fanatisme » – le mot est de Bossuet justement, mais sera repris par Leibniz. Intelligence de l'orthodoxie qui perçoit aussitôt dans ce fanatisme, et dans sa tonalité extatique, un risque de mort à soi-même, de dissolution de la subjectivité ou, pour parler comme l'archevêque de Cambrai lui-même, d'« anéantissement de l'être propre », fondu dans l'« immensité divine ».

Un autre. Les cathares. Purs entre les Purs. La Pureté comme dogme et comme principe. Le mot même – « cathare » – ne signifie-t-il pas, littéralement,

« pur » ? Montségur, capitale du monde cathare, ne se voulait-elle pas « la dernière porte terrestre avant le ciel » ? Et ne poussait-on pas si loin, à Montségur, cette exigence de pureté, n'y était-on pas à ce point ennemi de tout ce qui pouvait rappeler le goût, la saveur, l'impureté du monde créé, que la Croix par exemple, cet humble morceau de bois qui témoignait de la souffrance du Christ et portait encore la trace de son corps supplicié, inspirait moins la dévotion que le dégoût ? et l'eau même, oui, cette eau si transparente dont Bachelard dira qu'elle est une « tentation constante » pour le « symbolisme de la pureté », cette eau qui, toujours, partout, est la propre image de cette pureté, n'est-elle pas, chez les cathares, entachée, elle aussi, d'impureté – trop pleine de vie, disent-ils, trop animée, trop riche d'une grouillante quoique invisible matérialité, pour pouvoir servir, par exemple, aux baptêmes ? Seulement voilà. Cette haine, si totale, de la matière impliquait, fatalement, celle des corps. De cette haine des corps on passait inévitablement aux jeûnes sacrés, aux mortifications en tous genres et, bien sûr, à la diabolisation du sexe. Et cette diabolisation débouchait elle-même soit (pour le commun des mortels) sur l'extrême débauche, soit (pour les Parfaits et les Parfaites) sur l'extrême abstinence – lesquelles supposaient, dans les deux cas, interruption de la procréation et suicide mystique. On commence par la volonté de pureté. On la pousse à l'extrême. On pose que tout ce qui relève de la création et de la procréation est l'œuvre d'un autre Dieu, d'un Dieu mauvais. Et, au bout, il y a la négation, non seulement du lien social, mais de la survie de l'espèce.

Un autre cas encore. Celui de Savonarole. Temps des prélats immoraux et du commerce des Indulgences. Abaissement, sans précédent, de l'Eglise et de ses dignités. Déchaînement de lucre et de luxe. Mœurs dissolues. Et ce moine, alors, qui tonne contre le scandale, fustige les faux prêtres et leur avidité, vitupère leur pompe inutile, en appelle à une Eglise rendue à sa pureté et prend même, chemin faisant, la défense des humbles et des pauvres. Bonne nouvelle? Oui, bonne nouvelle. C'est ainsi que la reçoit, d'abord, le peuple de Florence. Sauf que, tout à sa fièvre imprécatrice, le moine promet l'enfer aux mécréants, menace les sodomites de bûchers dont les flammes illumineront la Toscane jusqu'au bout de l'horizon et, confondant dans le même opprobre tous les «caprices», «superfluités», «vanités» et autres «anathèmes» qu'a produits la corruption des Médicis, fait dresser ses fameux «bruciamenti delle vanita» où les habitants de Florence sont invités à apporter, par charrettes entières, tout ce qu'ils possèdent, pêle-mêle, de fards et de «tableaux lascifs», de colifichets et de «livres scélérats», d'instruments de débauche ou d'œuvres de l'esprit qui ne leur semblent pas animées du seul souci de Dieu – incroyable spectacle de ces brigades d'enfants qui traquent les récalcitrants, forcent les caches et les demeures et, escortés de courtisanes en larmes, d'artistes en désarroi ou de bourgeois simplement surpris, ou penauds, ou rêveurs, rapportent en grande pompe, au son des fifres et des trompettes, leur butin de coiffures, perruques, robes extravagantes et, bien sûr, œuvres d'art. Parmi les livres licencieux, livrés aux flammes purificatrices : Dante, Boccace, Pétrarque. Parmi les « peintures impudiques » que la loi, désormais, proscrit : quelques toiles, et non des moindres, d'un Sandro Botticelli dont le style, à tout hasard, s'épure et se fait vertueux. La pureté contre la beauté. La pureté contre la culture. C'est avec la pureté qu'on fait le bois des autodafés.

Le judaïsme enfin.

C'est le cas le plus difficile car, apparemment, le moins clair.

Qui niera qu'il soit hanté, lui, en effet, par le souci de la pureté ?

Qui niera la place, dans la ritualité juive, de la « Kashrout » et de ses prescriptions alimentaires ?

Qui contesterait que la « Tahara » (littéralement : la pureté) est constamment présentée comme l'état nécessaire à qui prétend observer les préceptes de l'Alliance ? Et la « Toumah » (proprement : la souillure) n'est-elle pas, à l'inverse, ce qui brise cette Alliance, éloigne du Saint Béni soit-il et, dans certaines circonstances (le contact avec la mort), expose celui qu'elle affecte à voir, comme disent les Nombres, son « existence » « retranchée d'Israël » – drame des Ninivites qui, pour s'être mêlés aux animaux de la ville et les avoir, au mépris des préceptes, associés à une cérémonie de jeûne, deviennent, dit Jonas, « comme bêtes en grand nombre » ?

Oui, mais voilà. Ce désir de pureté, si vif et sincère soit-il, ne va pas, dans les textes, sans de très sérieuses réserves. Et telle est la grandeur – la prudence, encore ? – du judaïsme qu'il a disposé, autour de ce désir, et comme pour en contenir les émanations malignes, un appareillage d'autres préceptes dont le moins que l'on puisse dire est qu'ils en nuancent la portée.

C'est l'idée, omniprésente dans le Talmud, que la pureté n'est pas un état mais un mouvement; que ce mouvement n'a pas de terme; et que nul ne saurait prétendre en «jouir» comme d'un bien.

C'est l'idée, insistante, que la séparation du lait et du sang, ou de la laine et du lin, ces purifications rituelles et réservées à l'ordre profane, sont toujours la métaphore d'une *autre* séparation : celle qui partage, justement, et de manière irrémédiable, le profane du divin – réservant à celui-ci les prestiges de la «vraie» pureté.

C'est ce rappel à l'ordre, incessant : quelle que soit la qualité de ta pureté, elle n'est rien si tu la compares à la pureté de Dieu.

C'est ce motif, plus étrange, mais qui court, lui aussi, à travers les textes : un monde originairement impur; une Création fondamentalement ratée; un mixte, pour l'éternité, d'ombre et de lumière, de matière et d'esprit, de bien et de mal – c'est cette façon, jamais démentie, de décourager tout ce qui pourrait ressembler à un «retour aux sources».

C'est ce brouhaha de langues, cette division babélienne du parler humain, dont il n'est pas écrit, comme on le prétend souvent, qu'ils sont une tragédie dont il faudrait effacer la trace.

C'est cette proximité, vertigineuse, de l'extrême pureté et de l'extrême impureté : n'est-ce pas le même mot, «qadoch» qui finit par désigner la sainteté de l'une, et celle de l'autre?

Cet avertissement, encore : la vraie pureté, la seule à mériter, si l'on y tient vraiment, ce nom et à faire du peuple juif le « peuple saint » qu'annonce la Bible, ne viendra qu'avec les temps messianiques.

Et c'est enfin, quant à ces temps messianiques, un dispositif théologique que j'avais analysé dans *Le Testament de Dieu* et qui n'encourage guère les fidèles dans le sentiment que l'heure de la Perfection soit proche : le messianisme juif est ce mouvement qui lance les hommes à la poursuite d'un but qu'on leur dit, en même temps, inatteignable ; c'est une eschatologie sans fin ; une espérance sans terme ; c'est l'attente d'un messie sans visage, sans nom, dont il est dit qu'il viendra le lendemain de sa venue et dont il ne faut escompter nulle rédemption en *ce* monde.

Alors, que certains soient passés outre, c'est évident.

Que d'aucuns aient cru, non seulement possible, mais souhaitable, de précipiter l'allure et de faire, ici et maintenant, régner la pureté, c'est ce que dit l'histoire des faux messies du peuple juif.

Mais ce sont des faux messies, justement.

Ce sont des hérésies, vécues comme telles.

C'est le sabbataï z'visme, puis le frankisme – mouvements qui sont, au judaïsme, l'équivalent de ce que furent le catharisme aux catholiques, ou les anabaptistes aux Réformés.

Et le fait est qu'ils sont restés dans les mémoires, ces mouvements, comme des moments de grand désordre (hordes de gueux, jetés sur les routes d'Europe, en des errances sauvages), de débauche (même raisonnement que chez les cathares : le monde n'a le choix qu'entre sainteté absolue et absolue turpitude), de blasphème (la Torah est abolie, dit Sabbataï Z'vi; il faut la transgresser, la profaner; «Seigneur notre Dieu, toi qui permets ce qui est interdit»), d'apostasie enfin (ce «chemin vers Esaü» prôné par Jacob Frank et, avant lui, la conversion à l'islam de Sabbataï).

Dans le judaïsme aussi, la pureté est dangereuse.

Dans le judaïsme encore, la volonté de pureté ne peut aller au bout d'elle-même sans susciter l'apocalypse.

Il faudra écrire, un jour, une histoire de la volonté de pureté : toujours, partout, le même enchaînement meurtrier.

4

Les Dix commandements de l'intégrisme

A défaut d'une histoire, un concept.

Qu'est-ce que la volonté de pureté ?

Que veut-elle, au juste, quand elle veut ?

J'ai dit, jusqu'à présent, « volonté de pureté » – mais sans vraiment me demander, ni ce qu'était la pureté qu'elle voulait, ni la façon qu'elle avait de la vouloir.

J'en ai visité des illustrations, accumulé figures et cas – mais sans trop m'attarder, encore, ni sur ce qui faisait leur cohérence, ni sur l'unité qui les soutenait.

Un matériau, donc.

Un désordre de séquences.

Toute une population d'énoncés qui composent un paysage multiple, inévitablement lacunaire, avec ses régularités bien sûr, ses récurrences muettes – mais ses vides, sa part d'arbitraire, son déchirement, ses contradictions peut-être.

C'est cet ensemble que je reprends.

C'est dans ce corpus que je m'installe.

Cette masse de discours, elle est comme un vaste

matériau où il faut maintenant puiser – ou, plutôt, prélever des traits dont on puisse faire la trame d'un concept bien agencé.

Refaire le chemin, en somme : mais selon un ordre de raisons.

Ressaisir toutes ces figures, anciennes ou récentes, mais selon une méthode qui permette de les recomposer.

Et avec les mots de Saint-Just et ceux de Savonarole, avec les anathèmes des mollahs vouant Taslima Nasreen aux serpents et ceux de Sabbataï Z'vi, avec le murmure, presque oublié, de la parole cathare et celui, proche, de la révolution polpotienne, avec le glapissement nazi et la clameur de l'islamisme, bref, à partir de ce bruissement de paroles si diverses mais, semble-t-il, intarissables, tenter de former un mot, un seul, dont il puisse être dit qu'il est sous-jacent à chacune même si, bien entendu, on ne le retrouve, tout entier, en aucune.

L'objectif? Un concept, oui. C'est-à-dire, en fait, un modèle. Savoir enfin de quel droit, et dans quelle mesure, il sera dorénavant possible d'affirmer d'un Etat, d'un moment de la culture ou de l'Histoire, d'un homme parfois, d'un livre, qu'ils sont inspirés par ce fanatisme de la pureté qui est l'autre nom de l'intégrisme.

1. Premier article de la foi intégriste. Elle croit en la communauté ou, plus exactement, en la bonne communauté.

Cela n'a l'air de rien, de croire en la bonne communauté. Mais c'est, pourtant, décisif. Car il y a des gens qui n'y croient pas. Il y a ceux – notamment, on le verra, les démocrates – qui ne pensent pas que les hommes puissent vivre dans l'harmonie. Il y a ceux qui croient au Ciel et savent qu'il n'y a qu'au Ciel que régnera l'ordre divin. Il y a ceux qui croient au Sujet et qui, même si la chose était possible, n'aimeraient pas qu'une société soit si parfaite que le sujet ne puisse que céder, et volontiers ! sur son désir. Il y a ceux qui ne croient à rien – comment croiraient-ils à une communauté achevée ? Bref le monde est plein de gens qui, pour des raisons philosophiques, religieuses ou politiques différentes, ne parviennent pas à concevoir l'idée, ni parfois l'intérêt, d'une société où régneraient, à jamais, la concorde et la paix. Et à tous, l'intégriste répond : « le royaume de Dieu est possible ! le Ciel peut descendre sur la terre ! rien ni personne ne vous condamne à vivre dans ce monde impur, déchiré, imparfait ! »

La société n'est pas un mal nécessaire : telle est, dans chacune de ses versions, sa conviction la plus têtue. Un bon lien social est possible, que les hommes n'auraient d'autre choix que de constater et consacrer : c'est sa toute première certitude ; c'est l'idée, très simple, sans laquelle il n'y aurait jamais eu d'intégrisme. Il peut être fasciste, ce lien – ou il peut être communiste. Il peut être robespierriste, savonarolien, sabbatéiste. Ce peut être cet « ordre total » – « nizam » – où la « souveraineté de Dieu » – « hâkimiyya » – régit, chez les islamistes, tous les aspects de la vie. L'essentiel est qu'il soit. L'essentiel est que, d'une façon ou d'une autre, il remédie à la finitude des hommes et à l'incomplétude des sociétés. L'essentiel est ce pari – car c'est est un – sur une société, sacrée ou profane, où l'homme fera son salut.

Il a mauvaise réputation l'intégriste. Il passe pour sévère, maudisseur, inquisiteur. On a tort. Car il est optimiste, au contraire. Plein d'espoir et d'illusions. Il y a quelque chose de radieux dans sa prédication et dans la promesse dont il se fait le héraut. S'ils sont si dangereux, les intégristes, c'est bien qu'ils commencent tous par flatter le genre humain et lui annoncer cette nouvelle : « la bonne communauté existe ; je peux vous la faire rencontrer ; il suffit de me laisser faire pour qu'elle prenne corps – et, avec elle, la solution finale à l'énigmatique problème posé par la condition humaine. »

2. Article second, corrélatif : l'intégriste ne croit pas – ne peut pas croire – au péché originel.

Là encore, c'est peu conforme à l'image convenue. Mais, pourtant, tout est là. Et il a bien compris, l'intégriste, que c'est sur ce point que tout se noue.

Car qu'il y ait du mal en ce monde, qu'il soit urgent de l'en extirper et qu'il faille même, pour cela, en passer par le fer et le feu, est une chose. Que ce Mal soit originaire, que ce soit une faute initiale, sans histoire ni vraie cause, et que cette faute, à partir de là, pèse, pour l'éternité, sur les épaules des pauvres humains, en serait évidemment une autre.

Pensez : un crime pour toujours ! Un Mal comme une damnation ! Comment voulez-vous, avec cela, fabriquer une bonne communauté ? Comment voulez-vous, si vous croyez à cette histoire, nourrir sérieusement le rêve d'une société présente à elle-même, parfaite, transparente ? L'intégriste a vite compris que ce dogme est comme un coin fiché dans la mémoire, le cœur, le corps, des hommes. Il sait qu'il ne la fondera pas, sa bonne communauté, s'il ne commence par ôter de sa route cette doctrine proprement accablante – qui, en bonne orthodoxie, nous barre à jamais, et en ce monde, l'accès à la pureté perdue. Alors, c'est là qu'il opère. C'est ce coin qu'il va scier. Feu sur le péché, dit-il ! Sus à la malédiction ! Et c'est *le* premier coup de force, constitutif de son projet.

Tantôt il le fait d'emblée : cas des nazis et des communistes rompant, explicitement, avec la « fatalité » judéo-chrétienne. Tantôt la rupture est plus sourde, plus tourmentée et ce sont ces grandes hérésies chrétiennes, mais aussi juives, dont l'objet aura toujours été, finalement, cette doctrine du premier péché : l'« autre » Torah des frankistes, cette « première » Torah que nul n'a jamais vue car les tables en furent brisées devant le spectacle du veau d'or, cette Torah cachée, oubliée, mais promise, cette Torah dite « de l'émanation » par les kabbalistes – n'a-t-elle pas pour caractéristique de ne plus faire mention du péché ? Tantôt encore il n'en parle pas, mais on sent bien – Saint-Just, Robespierre – qu'il ne pense, en réalité, qu'à cela et que lorsqu'il dit, par exemple : « le bonheur est une idée neuve », il veut, en réalité, dire : « le neuf, c'est un monde sans péché. » Et quant à l'islam enfin, si la pente intégriste lui est si facile, s'il est, aujourd'hui, la figure la plus menaçante de la nébuleuse, n'est-ce pas, tout simplement, parce que c'est la seule des trois religions du Livre qui n'ait laissé aucune place à cette théorie du péché originel ?

Qu'il soit religieux ou non, qu'il croie au Ciel ou qu'il n'y croie pas, l'intégriste a toujours à voir avec l'histoire des religions et, à l'intérieur de cette histoire, avec le dogme de la Chute. C'est sa grande affaire. Sa seule affaire. Quand il dit « pur », il pense, d'abord, « pur du premier péché ».

3. De là que l'intégrisme est toujours un édénisme ou, plutôt, un primitivisme.

Car de cette réfutation du péché originel découle, inévitablement, une vision enchantée de l'origine, la fable d'une innocence qui aurait été, ensuite, corrompue – l'idée d'une aube radieuse que la suite aurait assombrie.

C'est la Bible qui, là encore, aurait tendance à noircir le tableau. C'est elle, ce sont ses prophètes, qui, lorsqu'ils évoquent les matins du monde – avant la Loi, avant l'Alliance – nous décrivent un paysage désolé, des hommes tourmentés par le désir ou par la tentation du meurtre, des sources empoisonnées, des fleuves grouillant de vermine, des hommes dont le dos a été rendu pareil à « une rue pour les passants ». Lui, l'intégriste, depuis qu'il s'est affranchi du dogme fatal, n'a plus de raison de croire à cela. Et c'est pourquoi, loin, comme le judéo-chrétien orthodoxe, de fuir la contemplation de ce monde des débuts, il va s'y complaire ; il va passer un temps infini, déployer une énergie formidable, à méditer sur la scène – belle, à ses yeux – de ces commencements longtemps diffamés.

Commencements du monde : c'est la thématique, classique, du paradis perdu (on la retrouve, notamment, chez les intégristes rouges). Commencements de l'humanité : c'est toute la divagation autour d'un prétendu berceau de l'espèce, généralement situé dans le Caucase, ou en Inde, ou dans on ne sait quelle patrie de la « race indo-européenne » (thématique orientaliste qui relèverait plutôt, pour le coup, de l'intégrisme brun). Commencement des langues, interminables spéculations sur la supposée pureté de la langue « adamique » : comment parlait-on en ce temps des premiers matins ? quels mots ? quel souffle ? quels noms originaires ? les signes étaient-ils déjà tragiquement séparés des choses ? observait-on, au contraire, une miraculeuse symbiose ? et puis cet homme... oui, ce premier homme, ce locuteur du paradis, est-ce que par hasard, demande Fichte, il ne parlait pas déjà allemand ? est-ce que, demande un autre, il ne parlait pas ce mélange d'arabe et de persan qui justifierait, à lui seul, la révolution spirituelle iranienne ?

Que tout cela soit délirant n'est, en l'occurrence, pas la question. L'essentiel est qu'il n'y a pas un intégrisme qui – soit par le biais de l'adamisme, soit par celui de l'orientalisme, soit, encore, à travers des utopies plus classiques – ne se sente requis par cette chimère d'une innocence des origines.

4. A l'origine des origines il y a, bien entendu, la Nature. Et c'est pourquoi les intégrismes auront toujours tendance à faire de la Nature le lieu, par excellence, de cette pureté enfuie.

La Révolution française – Saint-Just en tête – n'a que ce mot, « nature », à la bouche. Les Russes – à commencer par Soljenitsyne – ne jurent que par la « bonne nature » présoviétique et, même, d'avant Pierre le Grand. Les nazis révèrent tant la Nature qu'on leur doit la législation la plus sophistiquée en matière de protection de l'environnement et des animaux. Karadzic joue, on l'a vu, les campagnes contre les villes, donc la nature contre l'artifice. Pol Pot fait de même – avec, nuance supplémentaire, une valorisation de la forêt redevenue, comme dans les mythologies druidiques ou dans le *Traité du Rebelle* de Jünger, le lieu le plus naturellement propice au ressourcement de l'humanité. Et quant aux intégrismes religieux, la grande question est de savoir où ils font commencer cette nature, si elle exclut ou inclut le corps, et quel corps, et voué à quel type de désir, et dans quelle relation avec la chair ou le sexe; mais une fois qu'ils ont décidé où, si je puis dire, ils mettent la barre, l'unique commandement devient de se conformer à ce que la nature prescrit : la « dévotion », pour un islamiste par exemple, se fondera, non sur la contrainte, mais sur le « yusr » qui signifie le « libre cours » de la conscience et, dans la conscience, de la « nature » – « redresse ta face en croyant originel, suivant la prime nature »....

Je ne prétends, bien entendu, pas que l'amour de la Nature soit toujours, en soi, signe d'intégrisme. Et on sait d'ailleurs – Luc Ferry l'a bien montré – comment l'écologie politique n'a cessé, en France, de se partager sur cette question. Mais justement. Le partage fut éloquent. D'un côté campaient des écologistes modestes, empiriques, qui, loin de diviniser la nature, loin d'y voir, sous prétexte qu'elle était «la» nature, l'idole des temps modernes, prétendaient l'aménager, la corriger et, au fond, la dénaturer. Et puis, de l'autre, se tenaient de nouveaux dévots qui, entre une absolution à Jean-Marie Le Pen et une dénonciation de la nature «belligène» d'Israël, choisissaient d'y retrouver un repaire d'innocence : et ce sont eux que l'on appelait, à juste titre, les khmers verts ou les intégristes de l'écologie.

C'est l'article quatre de la foi intégriste : la nature est bonne; la nature est sainte; rien de ce qui touche à la nature ne devrait être étranger à la bonne communauté.

5. Est-ce à dire que toute l'affaire de l'intégrisme soit un retour à cette nature? une réappropriation de la bonne origine? Oui. C'est cela. Et on aura compris qu'il ne se donnerait pas tant de mal pour mettre l'innocence au départ s'il ne nourrissait le secret espoir de la retrouver à l'arrivée.

Seulement attention! Il y a, à partir de là, deux voies et deux mouvements contradictoires.

Tantôt c'est un retour simple; on pense : «l'Histoire, depuis le premier jour, ne s'est, au fond, guère enrichie»; et c'est la position de ceux des islamistes qui soutiennent : «tout ce qui s'est passé depuis la mort du dernier héritier direct du Prophète ne fut qu'une interminable plongée dans l'ignorance» et qui, du coup, proposent : «fermons la parenthèse de ces quatorze siècles; effaçons leur part chrétienne, mais aussi leur part musulmane – au diable la vaine contribution arabe, par exemple, à l'histoire des sciences, des arts ou de la littérature. »

Et tantôt c'est un retour plus étrange ; il s'agit toujours, bien sûr, de revenir à l'origine ; il est, plus que jamais, question de se réinstaller dans cet état de pureté ; mais est-ce affaire de tempérament ? d'époque ? de philosophie ? voici que l'intégriste a le sentiment que c'est en regardant, non plus derrière, mais devant lui qu'il verra réapparaître l'Eden ; et au lieu de ralentir l'allure, au lieu de nier l'Histoire et son tumulte, au lieu de s'installer dans ce temps immémorial, il presse au contraire le pas, accélère la cadence, pousse même à la roue de ce Temps qui lui semble, maintenant, trop lent ; et, comme s'il jetait ses filets dans l'autre sens, il va chercher à la Fin ce qui était censé être au commencement et qui, d'ailleurs, y était – mais attendait la dernière heure pour apparaître dans sa gloire : c'est la position des marxistes ; c'est celle de certains nazis ; mais c'est aussi celle des chi'ites quand, dans leur débat avec les sunnites, ils font de leur Imam caché, et de son retour sur terre, le terme d'une parousie, d'un avènement, d'une promesse, qui se réaliseront, non plus hors, mais *dans* l'Histoire.

Retours en arrière, retours en avant. Refus et acceptation de l'Histoire. L'origine peut être en amont, mais elle peut aussi être en aval. Et c'est d'ailleurs pourquoi l'intégrisme ne cessera jamais de balancer entre ces deux vocations : l'archaïsme extrême et le progressisme échevelé ; le refus de la modernité et son acceptation enthousiaste ; Pétain et Marinetti ; l'histoire subie des oulémas sunnites qui se contentent de promulguer, de loin en loin, une vague et paresseuse fatwah et le scientisme résolu des jeunes docteurs de la foi iraniens qui sont capables de batailler dur pour montrer que telle découverte, attribuée à Descartes ou Newton, revient en réalité à un Arabe ou un Persan – ou, encore, l'extrême compétence de ces ingénieurs, techniciens, savants parfois, universitaires, diplômés de toutes disciplines, qui peuplent les rangs du FIS et font de celui-ci bien autre chose que cette secte de mollahs imbéciles, confits dans le passéisme, que l'on dépeint parfois.

6. Mais voici un autre partage – et une autre question, cruciale.

Si le Mal n'est pas dans l'Origine, comment se trouve-t-il dans le monde ? d'où vient-il ? comment, quand, y est-il entré ? bref, quel est son statut, si ce n'est plus celui du premier péché ?

Face à cette question, l'intégriste a le choix, sur le principe toujours, entre trois réponses possibles.

La réponse dualiste d'abord. Le Mal n'est pas dans la Nature ? C'est qu'il y a une seconde Nature. Le Mal n'a pas été créé par Dieu ? C'est qu'il y a un second Dieu. Le Mal n'est pas, ne peut pas être, dans l'Origine ? C'est qu'il faut supposer, non pas une, mais deux origines : la « bonne » où régnait la pureté, la « mauvaise » qui a généré l'impureté – à charge, pour le sujet, de se déprendre de l'une et de renouer avec l'autre ; à charge, pour l'âme, de se séparer de son mauvais infini et de se convertir au bon.

C'est l'hypothèse de Platon, dans un passage du *Phédon*, commenté par Christian Jambet, où Socrate répond à Simmias et à son hypothèse d'une âme mixte, où Bien et Mal seraient mêlés, inextricablement, quoique en proportions variables selon chacun : il lui oppose l'idée d'une âme double, de deux âmes – l'une tournée vers l'origine fatale, donc vouée au monde et au Mal, tandis que l'autre devrait pouvoir, au terme d'une « metabolê », se tourner vers la bonne origine et contempler le Bien.

Mais c'est aussi la théorie des maoïstes appelant les masses chinoises à « casser l'Histoire en deux ».

C'est celle des Cambodgiens quand ils se prétendaient les accoucheurs d'une « autre humanité ».

C'est l'idée de départ des hérésies anabaptistes et, bien entendu, du catharisme puisqu'il pousse, lui, le manichéisme jusqu'à postuler l'existence de deux Dieux – l'un dont la perfection supposait qu'il ne créât pas ; l'autre, Satanaël, qui est l'auteur de ce monde déchu.

Intégrisme mystique. Intégrisme morbide. Entre la mort absolue (cambodgienne) et le suicide (cathare) un intégrisme ascète dont la grande affaire devient la conversion, non plus de la société, mais de l'âme.

7. Seconde réponse : une théorie de l'accident, de l'écart – l'idée qu'il y a eu un moment (car il s'agit toujours d'*un* moment) où le programme s'est déréglé et où les choses ont mal tourné.

L'origine était bonne. Il n'y a qu'une origine, et elle était bonne. Seulement, Staline a trahi Lénine. L'Emir s'est séparé du Calife. Le troisième calife, 'Uthmân, a été malencontreusement assassiné. A moins que la malencontre ne vienne (c'est, à nouveau, la thèse des chi'ites) de l'élimination du quatrième Calife, Ali, par le cousin du calife assassiné. Bref, un événement. Une déviation. Souvent – en tout cas, dans les intégrismes religieux – une erreur d'interprétation, de lecture, dans le texte sacré. Et c'est à partir de ce point, de ce minuscule et parfois, sur l'instant, imperceptible déraillement, que la machine a dérapé.

Un péché, alors? L'équivalent, laïcisé, du péché originel de tout à l'heure? Non. Justement pas. C'est, même, le contraire de ce péché. Car le péché était au début – alors que l'accident vient, par définition, après le début. Le péché n'avait pas de date, il était inassignable et immémorial – alors qu'un événement est toujours situé dans l'Histoire. Le péché était radical enfin, irrémédiable – et c'est même ce qu'il avait d'insupportable aux yeux de l'intégriste; l'avantage, avec une déviation, c'est qu'on peut remonter à l'embranchement, reprendre la bonne chicane, effacer l'erreur en quelque sorte – même si, bien entendu, il en coûte des torrents de larmes et sang.

Il y a un autre concept dans l'Histoire de la philosophie qui, sorti de son contexte, pourrait servir de métaphore à ce type de micro-dérèglement, à la fois fatal et effaçable. Les intégristes ne s'en servent guère. Mais rien n'interdit de le faire à leur place. C'est le concept, épicurien, de «clinamen»: ce mince écart, cette imperceptible déclinaison, qui suffisent à précipiter toutes les catastrophes du monde créé – mais qui, parce qu'ils sont la preuve de la liberté des hommes ou du jeu de l'Histoire, devraient, en bonne logique, pouvoir être réversibles.

Le clinamen contre la Chute. Le clinamen plutôt

que la Chute. L'intégrisme, dans cette seconde formule, est une remontée, non pas à l'Origine, mais au lieu du mauvais embranchement. Et c'est ce que signifient les plus radicaux des islamistes quand, rayant, d'un trait de plume ou de l'esprit, la totalité des commentaires accumulés au cours des siècles, ils exigent de revenir au Texte même – tel que Mahomet le proféra.

8. Troisième réponse, troisième explication de cet énigmatique règne du Malin – et troisième attitude possible : la corruption.

Une seule origine, toujours. Et une origine toujours aussi immaculée. Sauf qu'une sorte de bacille s'est sournoisement introduite, cette fois, dans le monde et y a produit de terribles ravages.

C'est le « bacille » juif, chez Hitler. Les « insectes nuisibles » de Lénine. Le poison « contre-révolutionnaire », inoculé par les « ci-devant », chez Saint-Just. C'est la peste des idées, la gangrène des villes, chez Karadzic. C'est l'impureté tutsi, hallucinée par les Hutus. L'art, selon Savonarole. La matière, pour les cathares. C'est, chez les islamistes, cette phobie d'un Occident supposé infecter jusqu'aux corps, et aux gestes, des bons musulmans.

Le propre d'un microbe étant de venir du dehors, l'espoir demeure de voir restaurer la pureté – en l'occurrence la santé – gâchée : et cela ramène au cas précédent. Mais le propre du bacille étant aussi de grouiller, pulluler, galoper à travers le corps, l'investir et faire, finalement, corps avec lui, un simple retour ne suffira plus – fût-il un retour au point, supposé, où l'inoculation s'est opérée : et c'est pourquoi il faut au restaurateur, s'il veut parvenir à ses fins, des méthodes, des procédures, peut-être des outils, autrement plus radicaux.

D'un mot, il va se faire médecin. Puisqu'il est question de poison, il va chercher le contrepoison. Puisque les Juifs, les Bourgeois, les Artistes, les Tutsis, ne sont que des microbes, il va les considérer comme on considère les microbes. A quoi reconnaît-on cet intégriste-ci ? A ce qu'il ne dit pas « le Mal » mais « la maladie » et que, cette « maladie », il entreprend de la « traiter ». Gardez-vous des médecins ! Méfiez-vous – l'intégrisme n'est jamais loin – de ceux qui viennent, au chevet des sociétés, murmurer qu'ils vont les « soigner ». Le cheminement est toujours le même : nommer la maladie ; passer, oui, d'un Mal innomable à une maladie précise et, par conséquent, curable ; identifier la bactérie ; choisir les remèdes appropriés ; ne pas se lasser de les administrer tant que le dernier foyer infectieux n'aura pas succombé au traitement. Bref transformer l'administration en hygiène ; la politique en clinique ; créer, éventuellement même, des cliniques fermées par des barbelés – et faire de la réflexion sociologique une variante de l'immunologie.

Le fantasme intégriste majeur, celui avec lequel on fait marcher la guillotine et les camps : le fantasme du thérapeute. La volonté de pureté ? Une volonté de guérir.

9. A quoi ressemblera la société guérie ?

Là aussi, malentendu. On prête toujours aux intégristes un visage odieusement disciplinaire. On les imagine féroces, ivres de pouvoir et de règlements, maniant la foudre et l'anathème, punisseurs, étatistes. Et c'est, bien entendu, vrai : mais *avant*, ou pendant, la phase purificatrice – en cette heure, décisive, où il faut inlassablement chasser le parasite, la toxine, le corps étranger (l'oublierait-on que le dernier-né des Etats islamistes, le Soudan d'Hassan el-Tourabi serait là pour le rappeler : n'a-t-il pas forgé un gigantesque appareil logistico-militaire dans le seul but de « nettoyer » Khartoum de ses quartiers insalubres et, au passage, des 850 000 Sudistes, chrétiens ou animistes, qui y vivaient ?).

Mais bon. Imaginons la purification achevée. Plaçons-nous, par la pensée, dans une communauté qui, par le miraculeux effet, soit de la conversion dualiste, soit du retour au clinamen fautif, soit de l'application de la thérapeutique appropriée, serait rendue à son origine. Pourquoi, puisque l'Origine est bonne, s'embarrasser d'un corset qui ne ferait que contrarier son jaillissement ? Et que ferait-on, par exemple, d'un Etat dans une société régie par Dieu, fondée sur ses sacrés préceptes et rendue, donc, à sa sainteté ? Les marxistes, on le sait, rêvaient d'une société qui, passé la phase de dictature du prolétariat, verrait l'Etat dépérir. Les premiers hitlériens, on le sait moins, nourrissaient le même rêve d'une communauté de sang où le Parti commanderait à l'Etat et le Peuple au Parti – Hitler lui-même n'en a jamais démordu : « le point de départ de la doctrine national-socialiste ne réside pas dans l'Etat mais dans le Peuple. » Et quant aux islamistes enfin, on vient de voir qu'ils définissent l'« Oumma » comme la communauté où l'on peut observer la Charia par dévotion, vertu spontanée, sans contrainte ni crainte de Dieu – et c'est pourquoi la réflexion sur l'Etat, ou sur ses institutions, est toujours la parente pauvre de leurs programmes : le bon gouvernement, selon eux, est un appareil minimal dont le rôle essentiel, presque unique, est de rendre possible le « 'ibâda », c'est-à-dire le service que le fidèle doit à son Dieu.

Des mots ? Sans doute. Mais des mots qui disent une intention. Ou, au moins, une inspiration. On ne peut aborder sérieusement ces questions sans voir que le vrai projet d'un intégriste est, toujours, celui de la société auto-instituée et que, quand il dit « corps étrangers », il pense aussi à cette myriade de corps intermédiaires que sont les partis, les institutions, le Droit, les règlements, les lois, les intellectuels même – tout ce qui sépare la bonne communauté d'elle-même.

L'ennemi numéro un des intégrismes ? La médiation. Leur objectif ? L'immédiateté. Ce mot de Luther, qui vaut programme pour tous : « là où l'Evangile est enseigné dans sa pureté, l'union règne sans qu'il soit besoin de lois et d'ordonnances. »

10. L'union, justement. Cette communauté en guerre – contre le monde entier, et contre elle-même – ne rêve, c'est son dernier paradoxe, que d'unité.

Là aussi la raison en est simple. Elle est toute dans le calendrier. Avant, la guerre. Après, la paix. Avant (tant que la purge n'est pas achevée), le geste de l'intégriste est celui qui tranche, divise, sépare – et pas toujours, cela va de soi, au sens métaphorique. Après (quand on aura tant purgé, coupé, séparé, que le corps sera, enfin, pur), le geste devient bénisseur, conciliateur, pacificateur – et c'est le temps de la belle harmonie qui est toute la perspective de la purge.

On pourrait, là encore, mulitiplier les rappels. La société sans classes des léninistes. Le Volk réconcilié des hitlériens. La phobie de la « désunion » chez Savonarole. La nostalgie de l'« amitié » chez Saint-Just, et la haine des « factions ». L'organicisme de Vichy. Le « peuple uni » des révolutions. Le rêve grand-serbe. Le fantasme grand-russe. Mais si je devais n'en retenir qu'un ce serait celui d'un fondamentalisme musulman qui a, de nouveau, porté à son dernier degré ce fantasme unanimiste et qui, à ce titre aussi, est bien l'emblème de nos intégrismes.

Qu'est-ce, derechef, que l'« Oumma » ? C'est la communauté des croyants, certes. Mais c'est, comme le souligne Olivier Roy, une « communauté une ». Sans division ni distinctions. Sans faille ni vraie limite. C'est une masse, un océan, qui vit dans la phobie du mélange, mais aussi de la distinction – et qui est comme un bain, une solution amniotique, d'où l'on aurait chassé les rides, ou les tempêtes, qui traversaient la société d'avant la communauté.

Il n'y a pas de classes dans l'Oumma. Pas de différenciation sociale. L'individu lui-même n'a plus, en droit, de vrai statut puisqu'il n'est plus qu'un élément, un fragment, de ce grand Tout. Le péché suprême en politique devient, disent les textes, la « fitna », qui signifie « rupture de la communauté ». Et si grande est la crainte de cette rupture, si fort le désir d'unanimité, que les mêmes textes vont jusqu'à dire que mieux vaut, à tout prendre, un pouvoir injuste, ou tyrannique, qu'une « fitna ». Osmose. Fusion. C'est le dernier mot d'un intégriste : il y a un fonds commun à l'humanité; et ce fonds est ce qui fonde la bonne communauté.

Il n'en est pas là? Jamais là? On ne connaît pas d'intégrisme concret qui ait renoué avec ce fondement ni, donc, *liquidé* sa société? Bien sûr. Et c'est même le grand malheur des intégristes – c'est la loi sur laquelle, de Saint-Just à Mao, et de Khomeiny à Milosevic, ils ont tous fini par buter, et parfois se briser eux-mêmes : la purification est un procès sans fin; la communauté n'est jamais assez pure et n'en finit donc jamais de se séparer de ses corps étrangers... Mais c'est assez qu'ils le veuillent. Et qu'ils le disent. Et que tel soit l'horizon qui guide l'interminable course épuratrice.

Puisque c'est un concept que je tente de construire, donc un modèle, on admettra que l'on est dans l'épure intégriste chaque fois que, en terre d'Islam ou ailleurs, sous un régime autoritaire ou démocratique, s'exprime ce désir de fusion, cette crainte de l'affrontement ou ce refus de la division qu'engendrent, dans toute société, la passion, la mémoire ou la vie.

Troisième partie

MALAISE DANS LA CIVILISATION DÉMOCRATIQUE

1

Notre désarroi et le leur

Car revenons à nous. Je veux dire aux démocraties. Et à l'état dans lequel elles se trouvent au soir de leur affrontement avec l'hydre communiste – et alors qu'elles la voient renaître, sous un visage nouveau, en Russie, en Bosnie, en Algérie, à Kigali.

L'histoire revient.

Les périls montent.

Ils exigeront – ils exigent déjà – des ripostes appropriées.

La question que je pose – que nous nous posons tous – est, dès lors, celle-ci : sommes-nous en mesure de riposter ? le pouvons-nous ? dans quel état de santé morale, idéologique, spirituelle, nous trouvons-nous ? sommes-nous armés, en d'autres termes, pour relever le nouveau défi que nous lancent ces intégrismes ?

La première chose qui frappe – et notamment, d'ailleurs, les observateurs venus d'Europe centrale et orientale – c'est l'état d'apathie, d'anémie de nos sociétés.

Elles devaient être joyeuses. Triomphantes. Elles devaient connaître l'ivresse des lendemains de victoire. Or l'étrange est que l'on y sent une langueur, une torpeur, extrêmes. On y respire un air lourd – assez semblable, me dit un jour Havel, à Paris, un an après notre première rencontre, à ce que l'on éprouvait à Prague au moment de cette fameuse révolution décevante, énigmatique, fantomatique, etc.

Ceci est-il lié à cela ? Le malaise des unes à celui des autres ? Et faut-il imaginer (Jean Baudrillard encore) je ne sais quelle contamination maligne – l'Est qui, au lieu de ses tendres stocks de liberté, nous aurait refilé, en douce, sa morosité et son amertume ?

Peut-être, oui. Peut-être faut-il supposer des démocraties que le style même de la bataille aurait plongées dans une perplexité égale à celle de leurs partenaires : cette bataille si étrange, après tout ! cette victoire trop facile ! ce sentiment, chez nous aussi, d'un malentendu, d'une duperie – comme si le communisme était tombé au moment où nous ne nous y attendions plus ou comme s'il était déjà mort, à notre insu, depuis bien plus longtemps et que nous ne nous remettions pas d'avoir achevé un cadavre...

Peut-être y a-t-il une part, également, de mauvaise conscience, de honte – l'équivalent, toutes choses étant égales, du malaise que l'on devait ressentir, en France, au lendemain de la défaite du nazisme : on se réjouit, bien sûr ; on applaudit ; mais il reste une gêne, n'est-ce pas ? un trouble... nul, alors, ne pouvait ignorer l'ampleur de la compromission – qu'elle ait pris la forme de la collaboration ou celle, plus massive encore, du pétainisme ; nul, aujourd'hui, ne peut effacer nos longues indulgences – jusqu'à la toute dernière minute, la plupart des dirigeants occidentaux jouèrent la carte du communisme et prièrent pour que la perestroïka n'allât pas jusqu'à bousculer l'ordre mondial...

Mais enfin, le fait est là. C'est une morosité. Une dépression nerveuse collective. C'est une hypocondrie généralisée, une extinction des feux de l'envie et de la passion. C'est cet état d'« asthénie » qui est la version platonicienne de la « pulsion de mort » freudienne ; ou encore cet état d'apathie, et d'universelle acceptation, dont Spinoza trouvait le modèle chez les Turcs et où il voyait une forme d'équilibre certes – mais c'est l'équilibre de la mort, dit-il ; c'est l'antichambre de la fin ; plus de ressort ; plus de vertu ; un ébranlement suffirait pour que le régime tombe en poussière. Et puis c'est – signe le plus concret et, peut-être, le plus grave – un affaissement du débat public, une extinction du débat des idées : une méfiance, ancienne certes, mais que la conjoncture renforce dans son soupçon, à l'endroit de tout ce qui, de près ou de loin, pourrait ressembler à une idée.

Les démocraties l'ont emporté sur leur adversaire historique ; qu'ont-elles encore besoin d'idées ?

L'adversaire avait des idées et c'est avec ces idées qu'il dominait : n'est-ce pas la preuve que les idées sont mauvaises ? n'est-ce pas le signe qu'il est dangereux d'avoir des idées ?

Plus d'opinions, du coup.

Plus de *conflit* des opinions.

Un unanimisme épais qui tient lieu, non seulement de vie de l'esprit, mais de vie civique.

La fin de la politique.

L'impossibilité de l'héroïsme qui est, chez Hegel, l'autre nom de la grande politique.

Car l'héroïsme, c'est le Tragique, dit-il. Pour qu'il y ait des héros, c'est-à-dire des grands politiques, il faut qu'il y ait du Tragique, c'est-à-dire de l'inconciliable. Or la dialectique est, par définition, ce qui exclut l'inconciliable. Et c'est pourquoi les sociétés de consensus sont des sociétés où la politique s'éteint.

Etes-vous pour le bien, contre le mal? Ami du genre humain, ennemi de ce qui lui est ennemi? Etes-vous bien certain de communier, chaque soir, chaque matin, dans l'amour de votre prochain, c'est-à-dire de la société? Telle est la dernière politique. Le premier et le seul commandement. Tel est le catéchisme – humanitaire, libéral, droidlommiste, c'est selon – auquel chacun est sommé d'adhérer. Et que l'un d'entre nous y contrevienne, qu'il trouve l'Evangile plat, ou indigent, qu'il juge que le consensualisme est l'autre visage du conformisme, qu'il ait le front d'élever la voix ou, même, de blasphémer, qu'un écrivain, Philippe Sollers, à propos, justement, d'un cas flagrant de fanatisme et d'intégrisme, puisque c'est celui de la persécution de Taslima Nasreen, se permette, au nom de Voltaire, d'ironiser sur ce nouveau régime de la bienpensance et de n'adresser à l'écrivain traqué qu'une recommandation : « sauvez-vous ! » (à entendre comme une invitation à échapper, *à la fois*, aux foules bengalaises qui voulaient la lyncher et aux militants des droits de l'homme qui rêvaient de l'adopter) – son propos sera reçu dans un silence embarrassé; il ne sera pas condamné, mais toléré; ce qui est la meilleure façon de lui signifier que les opinions ne comptent plus, que les opinions n'existent plus, et que seule existe l'Opinion, notre mère supérieure et maîtresse absolue.

Là où il y a du pouvoir il y a de la résistance, disait-on jadis. C'est toujours vrai. Sauf que cette résistance change de nature. C'est celle d'un corps inerte, maintenant. C'est celle d'une masse amorphe, sans faille ni altérité. C'est celle de ce gros animal, indifférencié, qu'est devenue la société et où règne, avec l'Opinion, une sorte d'« orwellisme » soft, ou de « 1984 » rampant.

Une dictature? Non, pas encore une dictature. Mais plus tout à fait une démocratie. Ou une démocratie qui, en tout cas, est moins proche de celle de Montesquieu que de ce dont Platon brossait le portrait dans *Les Lois* et qui, « à travers ses chants, ses récits, ses discours », ne devait exprimer, selon lui, qu'« une seule et même voix tout au long de son existence ».

L'avantage, diront les optimistes, c'est qu'en se détachant des idées en général, on se détache aussi des pires d'entre elles – et, nommément, des totalitaires.

Imaginons, insinuent-ils, le spectre d'Hitler, revenant d'entre les morts. Imaginons un nazisme, un vrai, revenant faire un tour de piste. Il aurait ses partisans, sans aucun doute. Mais il y aurait, dans l'air, on ne sait quoi de blasé, ou de sceptique, qui empêcherait le remake de prendre – un mélange d'ironie, d'insouciance et, au fond, de désintérêt qui le désamorcerait.

Regardez d'ailleurs l'Italie, insistent-ils. Le fascisme y est «passé». Et il y a, c'est vrai, quelque chose de navrant dans l'idée qu'en 1994, au pays de Pavese et de Moravia, de Pasolini et Fellini, dans la seconde patrie de tous les amateurs de littérature et de cinéma, le ministre des biens culturels – équivalent, en France, du ministre de la Culture – puisse être membre d'un parti néofasciste et revendiquer, haut, l'héritage de Mussolini ! Mais ne sentez-vous pas, en même temps, qu'une forme d'incrédulité, de scepticisme encore, protège les Italiens – comme si le peuple de Rome et de Milan n'avait plus assez de foi pour fabriquer un vrai fascisme ?

Peut-être les optimistes ont-ils raison.

Une part de moi, oui, ne parvient pas à leur donner tort.

Mais je sais trop, en même temps, le prix que l'on paie ces raisonnements.

Je sais trop ce qu'il en a toujours coûté de renoncer à la croyance, à la politique, au tragique.

Hitler, ses contemporains le savaient, se nourrissait moins de sa force que de nos faiblesses.

Vichy, comme tous les moments de l'abaissement français, puisait sa ressource dans une faillite de notre désir, et de nos idées, au moins autant que dans sa force. Non pas, d'ailleurs, que sa philosophie fût «faible», comme l'a imprudemment dit un Président français : mais il ne trouva pas, face à lui, assez de démocrates décidés à croire, et penser, que l'on pouvait contrer l'abjection.

Qui sait si nous n'en sommes pas là, de nouveau?

Qui sait si nous ne nous trouvons pas dans cette même situation de détresse?

Et avons-nous quelque chose à opposer à la croyance de Milosevic? à la pensée des théoriciens du FIS? qu'avons-nous à répondre à Rafsandjani quand il affirme que l'islam sera le mythe du XXIe siècle, sa grande pensée, et qu'il remplacera, à ce titre, non seulement le communisme, mais aussi, encore plus fort! le catholicisme et le judaïsme?

Une démocratie qui ne croit plus est une démocratie défaite.

Une démocratie qui ne pense plus ou qui, pire, hait la pensée, est une démocratie qui s'est condamnée.

Car tel est bien l'enjeu : par-delà les croyances, les désirs et la politique – la pensée même. Et tel est l'air du temps : un dédain de la pensée qui ne peut que faire, à terme, le jeu de ceux qui, eux, n'ont pas cessé, ou recommencent, de penser.

2

Humanitaire, trop humanitaire

D'ailleurs nous y sommes.

L'intégrisme n'est déjà plus une menace, il est là.

Il progresse, tous les jours, en Iran, au Soudan, en Algérie. Il triomphe au Rwanda. Il a détruit la Bosnie. Il ne se passe pas d'année, de mois, qu'il ne franchisse un nouveau pas et ne produise un bulletin de victoire.

Or comment réagissons-nous ?

Que lui opposons-nous, en Bosnie justement, ou au Rwanda ?

L'humanitaire.

C'est-à-dire rien.

Et c'est un signe, redoutable, de ce malaise dans la civilisation démocratique.

Entendons-nous.

Je n'ai rien, cela va sans dire, contre *les* humanitaires.

Je sais qu'ils furent, souvent, les meilleurs d'entre nous.

Je sais que l'aventure humanitaire elle-même fut une des belles pages de l'histoire du demi-siècle.

Je n'oublie pas qu'elle a joué son rôle, et plus que son rôle, dans le grand mouvement de pensée antitotalitaire – et je n'oublie pas qu'elle a été, même là, dans cette bataille idéologique, autre chose qu'une pensée : n'a-t-elle pas donné à une génération le goût de l'action et de la morale ? aidé certains à résister au nihilisme ? rendu courage, ou espoir, aux autres ?

Et puis l'humanitaire a sauvé des gens, surtout. Des millions et des millions de gens. Et il y a dans ce seul fait, il y a dans l'existence même d'un courant de pensée dont l'idée fixe aura été que les victimes ont, en tant que victimes, des droits, il y a dans le droit d'ingérence par exemple, dans cette idée nouvelle et, au fond, si bizarre selon laquelle la communauté des nations peut s'assigner pour tâche d'arraisonner un Etat souverain dès lors que, de cette souveraineté, il fait l'alibi de ses crimes, il y a dans tout cela, je n'ose pas dire un progrès, mais un acquis, dont on aurait bien tort de sous-estimer l'énormité au terme d'un siècle, ou de siècles, dont l'Histoire aura été constamment écrite sous l'œil des bourreaux et des barbares.

Reste que l'humanitaire, par-delà son principe, est un système. Et que ce système participe, pour trois raisons au moins, du malaise environnant.

La première est trop connue pour que l'on y revienne autrement que pour mémoire.

C'est la confusion, justement, de l'humanitaire et du politique. La substitution du premier au second.

Sa manipulation par des Etats devenus incapables de penser politique et se servant donc de lui pour masquer leur indigence.

Vous n'avez pas de politique? Vous n'avez plus l'audace, la grande santé nécessaire à la mise en œuvre d'une politique? Eh bien envoyez des infirmiers. Transformez-vous en ambulanciers. Que l'Etat tout entier devienne un grand médecin collectif. L'humanitaire est une médecine douce dont l'objectif ne sera pas, quelle idée! d'arrêter les assassins, mais de soulager leurs victimes, parfois de les relever et de leur permettre, à tout le moins, de mourir le ventre plein.

C'est ce que l'on fit en Ethiopie, au milieu des années quatre-vingt, quand la caravane humanitaire accompagnait les victimes de la famine et de la « villagisation » et tentait de leur apporter un maigre et ultime réconfort.

C'est ce que l'on a fait au Liberia, face à une guerre quasi ignorée : l'humanitaire dont la vocation était de prendre le relais des Etats, de faire ce qu'ils ne faisaient pas et, conformément à la célèbre formule d'Henri Dunant, le fondateur de la Croix-Rouge, d'« humaniser les champs de bataille », l'humanitaire, donc, s'est mis à fonctionner seul, pour son propre compte et celui de ses organisations – machine folle dont tout le but était de nourrir, encore et toujours nourrir, ceux dont on savait qu'ils allaient mourir dans l'heure.

Et puis ce fut le cas, enfin, en Bosnie où j'ai vu les meilleurs de nos humanitaires pleurer de rage et d'impuissance à l'idée du rôle qu'on leur faisait tenir – l'équivalent, disaient-ils, d'une Croix-Rouge qui, en 1942, serait venue porter sandwichs et couvertures à la porte des camps.

Pas de politique, vraiment? Hum... On fait toujours de la politique. Et conformément au vieux principe selon lequel on fait encore de la politique, même, et surtout, quand on prétend ne point en faire, cette non-politique-là eut, hélas, pour résultat concret d'encourager les bourreaux; comme dit un jour Jacques Julliard, à l'adresse des artisans serbes du fascisme qui venait: « massacrez, nous ferons le reste... »

La seconde objection est plus grave. Car elle touche à la définition de l'humain que se donnent les humanitaires – et dont je tiens qu'elle participe d'une philosophie de l'inhumain.

Car enfin écoutez-les. Regardez-les opérer, nos gentils humanitaires. Voyez l'acharnement qu'ils mettent à ne pas faire, comme ils le répètent, de différence entre les morts.

Un mort est un mort, disent-ils. Un cadavre est un cadavre. Moyennant quoi ils ne voient dans l'homme que la victime. Dans la victime, qu'une chair mortifiée. Dans cette chair qu'un amas d'organes souffrants. Et dans cette souffrance, enfin, qu'un sacro-saint principe de vie, que les bourreaux auraient bafoué.

L'humanitarisme est un vitalisme, voilà le vrai.

Au lieu, comme le démocrate, de se donner une image noble de l'homme, au lieu de le penser comme une âme ou un esprit, et au lieu de s'adresser à ce qui fait de lui, même souffrant, un être de langage et de pensée – il le réduit à ce principe de vie qu'il a en commun avec les animaux et qui était déjà ce à quoi l'avait réduit le bourreau.

Dira-t-on qu'il ne peut en aller autrement? qu'il est difficile, quand les corps saignent, de se soucier des âmes? et que les médecins ont mieux à faire, dans l'urgence, que de résister au vitalisme?

Objectera-t-on que, dans les vraies situations de détresse, dans ces mondes d'apocalypse où les hommes meurent en effet – mais qu'y peuvent les humanitaires? – comme des mouches ou des animaux, objectera-t-on qu'au Rwanda, quand le sort d'un enfant se joue à quelques minutes et que l'on a toutes les peines du monde à dissuader les survivants de boire l'eau des rivières empoisonnées, ou du lac Kivu pollué, il y a quelque chose d'absurde à s'adresser aux « âmes » et à la part « noble » de chacun?

Oui et non. Car on voit bien, au Rwanda justement, ce que l'on pouvait concrètement faire pour éviter le piège.

Il fallait soigner, bien entendu.

Et soigner inconditionnellement.

Il ne fallait ménager ni sa peine ni son ardeur pour arracher à la mort tous les corps que l'on pouvait – jusques et y compris, sans doute, ceux dont on savait qu'ils avaient pris part aux massacres.

Mais il fallait, tout en soignant, et dans ce magma indifférencié de plaies et de souffrances qu'étaient les camps de Goma, tenter, même en paroles – mais qui sait si ce ne sont pas les paroles qui, en ces jours, manquèrent aussi? – de faire le partage, qui s'imposait, entre massacreurs et massacrés.

Car l'humanitaire ne se contente pas de soigner, il parle. Il ne cesse, d'une certaine façon, de parler. Il n'est pas un geste soignant auquel ne soit adjoint un commentaire censé le juger, le donner à voir, rendre compte aux donataires, à l'opinion. Et il appartenait donc à ceux qui ne soignaient pas, ou à ceux qui soignaient et parlaient, ou à ceux dont la fonction était de parler tandis que d'autres soignaient, il leur appartenait de ne pas entretenir cette illusion d'une humanité uniformément damnée.

Il fallait, aux massacreurs, ne pas cacher qu'ils seraient jugés.

Il fallait, aux massacrés, ou à ceux qui leur survivaient, ne pas ôter l'ultime dignité qu'était le sens de leur calvaire.

Il fallait, aux opinions surtout (et qui niera qu'elles avaient, elles, le temps et le loisir d'écouter ?), tenter de faire entendre, même si elle était complexe, la réalité des choses – au lieu de quoi nous n'eûmes droit, souvenez-vous ! qu'à une pitié généralisée, donc vide, où l'amour du prochain, le vrai, celui qui ne s'adresse pas à la masse mais à des sujets, cédait la place à un attendrissement stéréotypé.

Il fallait faire de la politique, en un mot.

Tenir, au moins, un discours politique.

Il fallait traiter ces hommes et ces femmes, non comme un bétail sur qui serait tombée on ne sait quelle calamité, mais comme des sujets que d'autres sujets avaient bafoués.

Certains l'ont fait, d'ailleurs (Médecins sans frontières), prouvant que la chose était possible, que l'on pouvait, tout en soignant, rendre un peu de la vérité, de la complexité des choses – et que cela n'entamait pas l'efficacité de l'aide d'urgence.

Certains l'ont dit (Bernard Kouchner), prouvant que la chose était dicible et que l'on pouvait, tout en étant le plus célèbre des « french doctors », se souvenir que l'on est ausi un témoin et que le témoignage a ses lois – pas nécessairement les mêmes que le bavardage humanitaire.

La majorité ne l'a ni fait, ni dit ; elle s'en est tenue à ce lamento : une seule note, la plus élémentaire, celle qui, jouant sur la corde la plus sensible, nous ressassait l'uniforme calvaire de ces populations maudites – prouvant qu'elle restait prisonnière d'un vitalisme humanitaire qui est la limite du système, sa honte et qui le rend complice, en fait, de cela même qu'il croit démentir.

La troisième, enfin, est peut-être la plus grave car elle concerne les passions que la machine humanitaire sollicite, brasse et compose quand elle opère.

Toujours le Rwanda. La fièvre des commentaires. La nature des reportages. L'acharnement des chasseurs d'images à nous donner – sic – « le premier 52 minutes à chaud sur l'événement » ou – comble du scoop – « le regard des Africains eux-mêmes sur leur propre tragédie ». Cette façon presque trop passionnée de commenter les progrès de l'épidémie, l'augmentation du nombre des morts, la résistance inattendue des uns, la mortalité exponentielle des autres, la dysenterie qui succède au choléra, l'épuisement à la dysenterie, le génocide qui recommence, les morts, encore les morts, l'inimaginable spectacle – mais oui ! – de ces déjà-squelettes qui trouvent le moyen d'achever à la machette les derniers Tutsis parmi eux.

Voyeurisme ? Non, pas vraiment voyeurisme. Mais curiosité passionnée. Fascination à peine déguisée. Comme si nous avions là une sorte de laboratoire où nous pouvions assister, in vivo, à une expérience formidable et formidablement instructive.

L'humanité blanche, développée, civilisée, a exclu de ses horizons, du moins le croyait-elle, un certain nombre de situations limites. La famine, par exemple. Ou la guerre. Ou les formes ultimes de la sauvagerie. Eh bien ces situations les voici. On est devant son poste de télévision. Ou même sur le terrain – journaliste, médecin, logisticien humanitaire, peu importe. Et voici ce spectacle unique, presque oublié ; voici ce théâtre de l'horreur dont nous pensions (et peut-être une part de nous, sans se l'avouer, le regrettait-elle) ne plus jamais voir se dresser le monstrueux et odieux chapiteau ; le voici, oui, ce spectacle d'une humanité déchaînée, en lutte contre elle-même et en proie à ces passions dont nous n'avions plus que le vague souvenir.

Entomologie, alors.

Vivisection passionnée.

L'humanité comme un cobaye.

L'humanitaire comme un observatoire.

Cette part de l'homme que l'homme entrevoyait, qu'il redoutait, qui le terrifiait et qui s'offre soudain à lui – dans la distance de sa prétendue compassion.

Je me souviens d'un mot de Zlatko Dizdarevic, l'éditorialiste d'*Oslobodjene*, l'héroïque journal de Sarajevo.

C'était l'été 93. La guerre durait depuis plus d'un an, sous l'œil des caméras du monde. Et la télévision anglaise était allée particulièrement loin dans l'obscène en organisant une sorte de chasse à l'enfant : une petite fille, blonde, et jolie, autour de laquelle s'était montée l'une de ces opérations à grand spectacle dont l'humanitaire d'Etat a le secret – et qui fut rapatriée, par avion spécial, dans un hôpital de Londres.

Un zoo, avait dit Zlatko.

Ma ville est devenue un zoo.

C'est comme une gigantesque réserve où l'Occident s'offrirait de grands shows : chasses à l'homme, chasses à l'enfant, les hommes comme des bêtes féroces, d'autres hommes comme des bêtes traquées et, dans ce minuscule champ clos gardé par la Forpronu qu'est devenue Sarajevo, ce spectacle toujours palpitant de la bête quasi condamnée, à qui on laisse néanmoins une chance, mais toute petite, presque sans espoir; saura-t-elle jouer son atout? aura-t-elle le génie d'en profiter? l'Occident, lui, est-il là pour la regarder ou pour la sauver? et pour sauver qui, au juste : l'individu martyrisé ou la représentante d'une espèce disparue?

Ce n'était pas encore le Rwanda, mais c'était la même disposition de l'âme. Comment ça marche, un homme? de quoi est-ce que c'est capable? quelles réactions face à l'extrême? quelles attitudes ultimes? est-ce ce que ça vagit? est-ce que ça murmure? est-ce que ça hurle? est-ce que ça soupire? est-ce que ça se révolte, parfois? et y a-t-il un point de dénuement où ça ne se révolte plus – ça vit, ça couine encore, mais ça reste prostré, c'est l'état limite de la vie chez cette drôle d'espèce que sont les humains ? Telles étaient quelques-unes des questions que nous nous posions tandis que les grands blessés se succédaient sous les sunlights et que nous relevions les victimes pour les renvoyer sous les balles des bourreaux.

Je ne dis pas, encore une fois, que l'humanitaire, même en Bosnie, se soit réduit à cela.

Mais je dis, comme Rousseau, au livre 4 de l'*Emile* qu'« à force de voir mourir et souffrir, les prêtres et les médecins deviennent impitoyables » – et que c'est une troisième raison, aujourd'hui, d'accuser l'infamie de l'idéologie humanitaire.

3

Mourir pour Sarajevo ?

Fallait-il faire la guerre en Bosnie ?

Fallait-il intervenir pour que cesse le massacre ?

Je le pense, oui.

J'ai pensé, dès le premier jour, que c'était le devoir de l'Europe.

J'ai pensé – rien n'aurait pu m'empêcher de penser que parce qu'ils étaient les agressés et parce qu'ils défendaient des valeurs qui étaient, pour l'essentiel, celles de la démocratie, la cause des Bosniaques était une cause juste.

Je n'ai jamais cru, bien entendu, que ce fût une cause sainte – car il n'y a que les intégristes pour croire qu'il y ait, dans l'Histoire, des peuples saints, purs, innocents.

Mais j'ai jugé, comme beaucoup d'autres, que c'était *le* rendez-vous du post-communisme.

Et, comme beaucoup d'autres, après tant d'espoirs déçus et de promesses trahies, il m'a bien fallu conclure que nous avions pris, hélas, le parti de l'obscurité et de la bassesse.

Ce n'est pas de cela, pourtant, que je veux parler ici.

Je l'ai fait dans un film.

Je le ferai dans un autre livre.

Ce qui m'importe, cette fois, c'est moins la morale que les faits, le jugement que le symptôme – c'est moins l'indignation, la protestation, l'explication même, que le regard quasi clinique que l'on peut, et doit, porter sur ces années d'aberration.

Ce n'est pas la première fois, sans doute, que s'offre pareil spectacle. Et les démocraties, quand on y pense, n'ont jamais été bien pressées de se porter au secours de leurs valeurs menacées.

Que l'on se se souvienne du génocide arménien... De la guerre civile espagnole... De Munich... De l'Ethiopie... Des six millions de juifs, exterminés... Que l'on songe à cette longue série de rendez-vous manqués de l'Occident avec la liberté : Berlin, 53; Budapest, 56; Prague, 68; la Pologne; l'arrivée des premiers dissidents...

Chaque fois, elles ont cédé.

Chaque fois, elles ont pactisé.

Deux fois, deux fois seulement, elles ont choisi de faire la guerre : mais c'était Suez en 56, puis le Koweit en 91, et ce sont leurs intérêts stratégiques qui, dans les deux cas, étaient menacés.

Jusqu'aux Etats-Unis qui n'entrent dans la bataille, en 1942, qu'après que le Japon les y eut précédés, et contraints...

Car telle est la règle.

La règle macabre, mais la règle quand même.

Jamais les démocraties ne prennent l'initiative.

Jamais elles ne jugent de leur devoir de voler au secours de léurs principes bafoués.

On les voit, comme dit un personnage de *L'Espoir*, « intervenir contre à peu près tout sauf contre les fascismes ». Et peut-être Benda avait-il raison, dans *La Grande Epreuve des démocraties*, de dire qu'il y a un « trait » qui rend ce type de régime structurellement « adapté à l'état de paix » – et peut-être aussi Elie Halévy qui, un demi-siècle avant Sarajevo, en pleine ascension d'Hitler, expliquait dans son *Ere des tyrannies* que « guerre » et « démocratie », voire « démocratie en guerre », sont des formules antithétiques, contradictoires dans les termes...

Reste – et c'est tout le problème – que Milosevic et Karadzic n'étaient, justement, pas Hitler.

Ils n'avaient ni sa puissance ni sa férocité démoniaque. Ils ne menaçaient pas d'une conflagration mondiale. Ils étaient isolés. Affaiblis par la faiblesse de leur tuteur russe traditionnel. L'un disposait d'une armée puissante, mais bridée par l'embargo. L'autre commandait à des miliciens de fortune, mal armés, mal entraînés.

L'intervention aérienne était possible. Les états-majors connaissaient l'emplacement de la moindre pièce d'artillerie serbe autour de Sarajevo et Gorazde. Ils savaient – le général Morillon me l'avoua, un jour, ingénument – que l'on pouvait frapper sans vrai risque de « dommages collatéraux ».

Les démocraties, au demeurant, n'avaient jamais été si puissantes. Elles disposaient d'une armada, constituée au temps de la guerre froide et faite, en principe, pour tenir tête aux centaines de divisions de l'Armée rouge.

Chaque fois, d'ailleurs, qu'elles l'ont voulu, les Serbes ont reculé. Chaque fois qu'elles leur ont adressé un ultimatum, l'ultimatum a été reçu. Et lorsque les néomunichois les plus enragés tentaient d'affoler l'opinion en agitant la menace de l'embrasement, l'excès même du propos les déconsidérait.

J'ajoute que, passé les premiers mois, nul n'a plus réellement douté de l'écrasante responsabilité serbe dans le déclenchement du conflit.

J'ajoute aussi que l'opinion, en France au moins, était massivement probosniaque et que le parti serbe – ceux qui étaient prêts à soutenir, jusqu'au bout, la cause de la Grande Serbie – n'allait pas au-delà de maigres bataillons lepénistes ou néocommunistes.

Et l'on admettra enfin qu'il se trouvait dans la Cité assez de « stratèges en chambre » – c'est-à-dire, dans la terminologie du jour, d'intellectuels et de journalistes informés – pour que les conséquences de la politique suivie fussent amplement décrites et que chacun fût conscient que, du strict point de vue de la raison d'Etat, voire de la realpolitik la plus cynique, c'est la non-intervention qui, tout bien pesé, coûtait le plus cher. En vrac – mais ce fut le *vrai* bilan de la ligne, si étrange, adoptée par les Occidentaux : le dépeçage d'un pays ; le million et demi de réfugiés dans les camps ou en exil ; la faillite de la sécurité collective ; le discrédit de l'ONU ; la loi du plus fort érigée en principe ; le formidable encouragement adressé à tous les petits et grands leaders intégristes, Jirinovski en tête; la déstabilisation régionale; la perspective d'un Etat musulman dont les musulmans bosniaques ne voulaient pas mais auquel nous prenions le risque de les acculer et que nous bâtissions, en quelque sorte, nous-mêmes.

Bref, jamais démission n'aura été si ruineuse, ni si incompréhensible.

Jamais les démocraties n'auront donné l'image d'un si mystérieux effacement.

Et l'affaire, de ce point de vue, est bien plus énigmatique – instructive ? – que le fameux aveuglement des munichois face à Hitler.

Des explications ?

J'ai tenté d'en donner quelques-unes dans *Bosna!* – notamment ce « syndrome Norpois », répandu dans les chancelleries et qui disait à peu près : « Belgrade doit gagner cette guerre; l'Occident doit l'y aider; car ces Balkans sont une poudrière; c'est une mêlée de peuples hostiles, ne songeant qu'à s'entre-déchirer; et nul n'est mieux placé que les Serbes pour succéder aux Ottomans, aux Autrichiens et aux titistes dans le rôle de gendarme de la région. »

Mais je répète que, au point où j'en suis, l'important n'est pas la raison mais le fait, l'explication mais le scandale – et ce que le scandale nous dit, non de la Bosnie, mais de nous-mêmes.

En clair, il dit, d'abord, une incapacité nouvelle à penser l'idée même de la guerre. « Ils sont les premiers révolutionnaires à avoir désappris le sens du Tragique », avait noté Alexandre Kojève à propos des étudiants insurgés de 1968. Eh bien peut-être cette guerre de Bosnie était-elle la première guerre d'un temps qui a fait, en effet, son deuil du Tragique – et peut-être fut-elle, pour cela même, inconcevable. Notre monde rêve d'en finir avec la contradiction, le débat, la négativité, la mort, le mal. Comment pouvait-il, sérieusement, penser cet extrême du mal qu'est la guerre ?

Il dit, ensuite, notre impuissance à distinguer entre guerres justes et paix injustes – c'est-à-dire, ici encore, à raisonner en politiques. Dans le débat bosniaque, on entendit souvent les ministres « supposés savoir » reprocher aux intellectuels leur côté « simplificateurs au grand cœur ». Or c'était évidemment l'inverse. C'est eux qui, réduisant l'intervention à l'humanitaire, c'est-à-dire à la compassion, faisaient, au sens strict, une politique du sentiment. C'est eux qui, lorsqu'ils agitaient le spectre des cent cinquante mille soldats au sol nécessaires à la défense des « Musulmans », flattaient les peurs et les passions les plus simples. C'est eux qui, en un mot, face à des intellectuels qui avaient le mérite de peser, calculer les conséquences des divers choix possibles – y compris, donc, celui de la non-intervention – n'ont cessé de faire de l'émotivité leur fonds de commerce et leur boussole. Si seulement M. Juppé avait eu une politique, l'avait dite et s'y était tenu !

Et puis ce scandale exprime, enfin, l'immoralité d'un monde qui ne sait, ne veut, plus distinguer entre bourreaux et victimes. Ah ! l'abject ricanement de ceux qui crurent voir une main bosniaque derrière l'obus du marché de Markale : la victime devenait bourreau; pire, son propre bourreau; les rôles, par providence, s'inversaient; la confusion devenait générale. Et, plus tard, à partir de l'été 94, quelle pauvre image que celle du haut commandement de la Forpronu, quand les «provocations» bosniaques lui permirent enfin, en toute équité, de menacer des *mêmes* sanctions, et des *mêmes* frappes, les victimes et les bourreaux autour de Sarajevo! Ces crétins étaient aussi des salauds. Ces hommes, qui n'avaient pas l'intelligence d'agir selon la raison politique, n'avaient pas non plus le cœur de se conduire selon la morale. Et cela en dit long sur l'épuisement d'un monde qui ne croit plus en rien et que ces «casques bleus» onusiens incarnent finalement assez bien.

Car qu'est-ce qu'un casque bleu?

C'est un soldat désarmé.

Une sentinelle devenue cible.

C'est cette bizarrerie, de fait comme de droit, que constitue l'idée même d'un combattant neutre, à la frontière entre deux armées, sommé – pour la première fois, dans l'histoire militaire – de ne pas choisir son camp.

Et c'est, du coup, un des symboles du moment, une catégorie de l'esprit du temps: une de ces figures, curieuses mais emblématiques, qui ne semblent aberrantes qu'à ceux qui n'ont pas pris la mesure de l'aberration propre à l'époque.

Je les ai vus, ces casques bleus, à l'œuvre.

Je les ai vus, en Bosnie mais aussi dans le nord de l'Irak, chez les survivants kurdes des massacres de Saddam Hussein, fourbir inlassablement des arsenaux d'armes formidables, dont ils savaient qu'elles ne serviraient pas.

Je les ai admirés (car ils étaient, individuellement, admirables) quand, essayant de tirer le meilleur d'un mandat inepte, s'efforçant de mettre un peu de sens et d'honneur dans une mission qui n'était ni sensée ni honorable, ils se muaient en terrassiers, postiers, éboueurs, libraires, ingénieurs des ponts ou des âmes, logisticiens de la détresse, sémiologues, instituteurs, médecins, gardiens d'enfants, transporteurs, prêtres, infirmiers, médecins – tous rôles dont ils s'acquittaient avec un zèle, un tact, une intelligence des êtres ou des situations au moins aussi impressionnants que ceux dont c'était la vocation – je pense notamment aux humanitaires; mais enfin, était-ce leur rôle? et n'y avait-il pas quelque chose de pathétique dans le spectacle de cette force impuissante, sans ressort, sans mandat, et qui ne s'adressait aux victimes que pour gérer, ou négocier, leur résignation?

Je les ai vus, à Sarajevo, passer des heures, des jours, des semaines, le plus clair, parfois, de leurs jours et de leurs semaines, à compter les obus, guetter les « départs », enregistrer les « arrivées », évaluer les impacts, l'importance du dégât commis, se demander même parfois – que voulez-vous? la tâche est monotone; on peut être tenté d'en rajouter, d'inventer des variantes, de pimenter... – se demander, donc, si cet obus-ci n'aurait pu être tiré, par hasard, depuis les lignes gouvernementales et consigner tout cela, avec une précision maniaque, dans de grands registres inutiles, dont nul ne savait très bien à quelle autorité on les destinait; bureaucrates scrupuleux; comptables de l'horreur; greffiers de la mort des autres et, parfois, de la leur: mais, là encore, pourquoi? pour qui? à quoi bon? à destination, surtout, de quelle instance puisque chacun savait que ces interminables procès-verbaux personne, sauf exception, ne les lirait jamais?

Le casque bleu ou l'absurde.

Le casque bleu, ou le concentré de l'absurdité du temps.

Dans les pires jours, quand la furia serbe se déchaînait, quand le bruit de pièces de 175 se mêlait au miaulement des balles des «snipers», et celui-ci au sifflement léger des obus de mortiers, quand les obus eux-mêmes devenaient si nombreux, et se succédaient à si bref intervalle, qu'il était impossible de les distinguer et qu'il fallait appliquer, d'office, un coefficient multiplicateur, dans les jours de colère où la canonnade serbe ne cessait pas et où nos soldats désarmés continuaient, impavides, de noircir leurs montagnes de papier à l'attention de leur hiérarchie fantôme et de ses tribunaux imaginaires, combien de fois, en ces jours, me suis-je surpris à penser – employant un mot que je n'aime, pourtant, pas sortir de son usage – qu'il y avait quelque chose, dans leur situation, de kafkaïen...

Absurdité. Impuissance. L'image de la guerre quand il n'y a plus de guerre. S'il y avait des soldats chez Kafka, ils seraient sûrement casques bleus.

4

La nouvelle crise de la conscience européenne

Dépasser ce simple tableau de l'apathie, de la compassion et de la démission contemporaines.

Tenter, si on le peut, de sonder les sources de la crise – ce désordre profond, souterrain, dont l'expérience prouve qu'il commande toujours à ce type d'abaissement.

Il faut le supposer, ce désordre.

Impossible, quand le malaise est si vif, la décomposition si patente, de ne pas postuler des secousses plus fortes encore, et parties de plus loin.

Impensable qu'une démoralisation si générale, un affaissement si partagé, et qui semble ne vouloir épargner aucun Etat, ni aucune famille de pensée, n'ait sa cause dans des ébranlements plus secrets, moins visibles – affectant jusqu'à nos catégories mentales, notre imaginaire, nos repères.

J'en vois, de fait, au moins trois – trois déchirements, trois ondes de choc, qui touchent à l'idée même que nous nous faisons de l'espace, du temps et de leur représentation. Et je voudrais, pour le montrer, revenir une dernière fois à cette scène déjà lointaine, mais riche, inépuisable et où, de toute façon, tout s'est joué : la chute du communisme.

L'espace, d'abord.

Dans un livre qui fit date, Pascal Bruckner émettait l'hypothèse d'une solidarité sourde entre le communisme et nous. Il était notre ennemi, disait-il. Mais cet ennemi nous était nécessaire. C'était notre double. Notre miroir. C'était un diable fraternel que nous avions appris à haïr et contre lequel s'exerçaient nos vertus démocratiques. Nous étions forts, parce qu'il l'était. Nous nous voulions invincibles parce que nous redoutions qu'il le fût. Et c'était pour le contenir, que nous nous endurcissions dans notre être et nos principes. Aujourd'hui, il s'effondre – et nous n'avons plus, concluait-il, d'adversaire à arraisonner. Il rend enfin les armes – quelles raisons aurions-nous de conserver les nôtres ? Il était une altérité bénie qui nous tenait en alerte : sa disparition laisse un vide, un gouffre – qui s'ouvre sous nos pas, et nous aspire.

Pierre Hassner, dans le même esprit, a comparé le long corps-à-corps à ces combats de gladiateurs où les adversaires s'épuisent, se portent des coups terribles, jusqu'à ce que l'un des deux l'emporte, mais à la toute dernière heure, alors qu'il est lui-même à bout de forces, exsangue. C'est la démocratie, dit-il, qui, dans ce combat-ci, l'a emporté. Mais à quel prix ! Dans quel état ! Et sommes-nous bien certains que ce soit elle qui ait gagné ? Ses vertus qui aient triomphé ? N'était-ce pas comme deux grands blessés qui perdaient également leur sang et dont l'un se serait vidé quelques minutes, à peine, avant l'autre ? Hypothèse, oui, d'un combat qui n'aurait fait ni vainqueur ni vaincu – car il vouait l'un à l'autre les deux protagonistes. Hypothèse d'un espace commun, *nécessairement* commun – où ils ne pouvaient, peut-être, et à jamais, que se tenir ensemble.

Et je me souviens avoir moi-même, dans *Le Testament de Dieu* encore, rappelé que, démocrate ou pas, politique ou non, aucun système au monde ne peut se passer d'un adversaire : c'est l'autre qui fait le même, l'écorce qui fait le noyau, c'est à la frontière que tout se joue puisque toute détermination est négation. Dis-moi ce que tu écartes, je te dirai qui tu es. Dis-moi quel est ton bord – là sera ton fondement. Décris-moi ce que tu abjures, marque l'emplacement de ce qui, pour toi, devra être l'inconciliable même – là sera ta limite et, donc, ta vérité. Et c'est ainsi, disais-je, que le communisme est devenu l'astre fixe autour duquel gravite l'ensemble du système : droite et gauche, partis de gauche et partis de droite, tous ont besoin d'un Parti fort ; tous y puisent leur propre force ; pour tous, il est le pôle unique qui aimante le jeu politique ; ils peuvent bien le qualifier, ce communisme, d'« empire du Mal », ils vivent sous cet empire ; il peuvent le figurer comme un « corps noir », ils sont dans l'orbite de ce corps noir ; en sorte que loin d'être cette malédiction dont la démocratie, pour occuper son aire, devrait se délivrer, il est son allié secret, son complice ; et chacun sent bien que, sans lui, sans son rayonnement malin mais dense, c'est toute la galaxie qui plongerait soudain dans la nuit.

Dans les trois cas la leçon était la même. Et c'était une leçon de topologie. Le dehors fait le dedans. L'extérieur fait l'intérieur. Il y avait, comme toujours, une symétrie fatale entre les deux ennemis ; et c'est de cette rupture de symétrie que les démocraties souffrent désormais. Thèse que l'on retrouverait encore chez Debord (misère d'une démocratie qui « préfère être jugée sur ses ennemis que sur ses résultats »). Debray (référence insistante, depuis *Le Scribe*, au « théorème de Godel » dont c'est la même leçon). Daniel (multiples interventions sur la « mélancolie du monde libéral à partir du moment où il se voit privé de son principal adversaire – adversaire qui tendait son énergie, justifiait son combat et magnifiait ses valeurs »). Et puis, sous une autre forme enfin, dans cette toile de Carpaccio à laquelle j'ai souvent pensé depuis la chute du Mur – car elle en est l'allégorie : *Saint Georges terrassant le dragon.*

On y voit, dans la partie droite du cadre, saint Georges sur son cheval, tête nue, tout de noir vêtu, debout dans ses étriers, le visage dur, presque inhumain, le torse tendu, incliné par l'effort sur l'encolure de sa monture : il tient sa lance à bout de bras, fichée dans la gueule du monstre et il y a une telle force dans le geste, une telle impétuosité dans l'assaut, que l'on se surprend à redouter que quelque chose ne lâche et ne rompe – le bras peut-être, ou le bois de la lance, ou les jambes arrière du cheval sur lesquelles il prend appui.

A gauche il y a le dragon, tout noir aussi, plus ramassé, à moins que ce ne soit un effet (voulu ?) de la perspective. Il a la pointe du javelot fichée dans la mâchoire. On sent qu'il s'est figé, pétrifié, dans son dernier sursaut – celui qu'il a dû avoir à l'instant où la lance l'a atteint. Mais il y a une telle violence dans ce sursaut, une telle rage, on sent une telle puissance dans le refus de cet aiguillon de fer occupé à lui fouailler déjà la gorge, qu'on le devine au bord de se dégager, d'arracher la hideuse pointe – il est cambré lui aussi, arc-bouté sur ses propres pattes; et bien malin qui dirait lequel, de lui ou du cavalier dégage le plus de force : face-à-face, défi furieux mais muet – jusqu'à sa gueule, happée par la pointe du javelot, tirée de force vers le ciel, et rendue symétrique de celle du cheval que la pression du cavalier, incline, elle, vers le sol.

Le cavalier aura-t-il raison du dragon? le dragon, du cavalier? est-ce la lance qui se brisera – est-elle si tendue qu'elle finira par se rompre, livrant les deux forces à elles-mêmes, les précipitant l'une sur l'autre en un combat d'une férocité accrue? Ce sont, en théorie, les trois solutions possibles. Et aucune, au vu de la scène et de l'effrayante tension qui s'en dégage, ne semble plus vraisemblable que l'autre. Sauf que toute la force du tableau tient à ce qu'il en suggère une quatrième, la moins plausible de toutes – et pourtant, lorsqu'on regarde bien, la seule à s'imposer : la symétrie, encore; l'impossibilité, pour l'un comme pour l'autre, de rompre l'équilibre; et l'éternité, donc, du vis-à-vis.

Que l'un cède – et l'autre céderait, voilà ce que dit le tableau. Les corps sont à distance, une lance les sépare – mais la gueule du monstre, le javelot, le bras même du héros forment un arc, et cet arc est un cercle fatal qui les enferme, les lie. Eternité du conflit. Pérennité de Polémos. Un lien, oui, mais terrible, et qui ne se dénouera qu'au détriment des deux. saint Georges ne peut vaincre le dragon sans que le dragon ait raison de lui. Les démocrates ne pouvaient liquider le communisme sans que se liquide, aussi, une partie d'eux-mêmes. Pur effet de topographie. Inévitable loi de structure.

Le temps, ensuite.

Quelle est la leçon du dragon ?

Que dit-il ? Que veut il ? N'est-il que ce repoussoir, cette pure négativité ?

Et n'est-il lié au chevalier que par ce simple effet de structure, inscrit dans l'espace du cadre, comme dans celui de l'ordre du monde ?

On sent bien que non. On voit, pour peu que l'on se rapproche et que l'on scrute un peu mieux, qu'il y a dans son être même, dans son allure, dans la façon qu'il a, par exemple, de s'arc-bouter sur les pattes arrière ou de tendre la gueule vers le soleil, dans sa manière de résister, de refuser le dard qui l'empale, dans sa façon de faire face au chevalier et, parfois, de lui ressembler, une complicité, une affinité, qui ne tiennent pas seulement à sa place.

Eh bien il en va de même du communisme.

C'était un intégrisme, certes. Mais il avait un privilège, cet intégrisme. Oh ! Un privilège... Disons un trait. Il avait pour trait, on s'en souvient, de placer son origine à la fin. Il était de cette seconde catégorie d'intégrismes qui pressent le pas, hâtent l'allure – car ils savent que c'est au terme qu'ils retrouveront la bonne origine. C'était une philosophie de l'Histoire, en un mot. Il vivait dans l'idée, pas si évidente qu'il y paraît, que l'Histoire est moins ce qu'elle est que ce qu'elle annonce. Il pensait que le Temps est bon, qu'il a un sens, que chacune de ses étapes l'augmente – nous augmente – de quelque chose. Et je crois que cette idée, il ne pouvait pas la nourrir, l'exalter, en faire des livres, des partis, des insurrections manquées, des grèves aussi, il ne pouvait pas, comme il faisait, la transformer en évangile sans que, de proche en proche, et fût-ce à leur insu, il s'en inocule quelque chose à ceux qui s'y croyaient étrangers.

Souvent on se demandait ce que les uns devaient aux autres. La question était, n'est-ce pas : qu'est-ce que l'existence même, la poussée des mouvements ouvriers instille dans le Capital ? Et on répondait les lois sociales. Ou les congés payés. Ou, d'une façon générale, les acquis de l'Etat-providence. Je pense, aujourd'hui, que ce que nous leur devions de plus précieux c'était peut-être cette certaine idée de l'Histoire : l'idée, oh ! vague, sans doute, d'un temps qui n'était pas nécessairement le règne du chaos ; l'idée qu'il pouvait être porteur d'une nouveauté, promettre un monde meilleur – l'idée d'une temporalité dont on pouvait espérer autre chose qu'un éternel désordre de cris et de lueurs ; l'idée, au fond, qu'il y avait quelque chose à attendre de l'Histoire.

Je ne dis pas que cette idée appartînt en propre aux communistes.

Je ne dis pas que nous ne la devions qu'à eux – ne l'empruntaient-ils pas, eux-mêmes, à d'autres ?

n'était-ce pas la version profane, intégriste, des théodicées juive et chrétienne ?

Et je n'oublie pas, surtout, l'usage qu'ils en ont fait, les crimes qu'ils ont commis en son nom – je serai le dernier à faire l'impasse sur les millions de pauvres gens que cette espérance a tués : ils croyaient qu'elle leur ferait la vie moins amère, ou la mort plus douce, ils croyaient qu'ils mouraient malgré elle et qu'elle était, selon la formule, l'âme d'un monde sans âme, l'esprit d'un monde sans esprit – alors qu'elle était, nous le savons maintenant, la source même du mal, le principe au nom duquel le crime était commis.

Mais bon. Ils continuaient l'idée. Ils faisaient qu'elle vivait encore. On croit que les idées sont éternelles. On croit qu'elles sont une portion de la somme éternelle des choses et qu'il suffit de les convoquer pour qu'elles répondent à l'appel. Mais non ! Il y a un temps pour chaque idée. Il y a un temps où elles vivent, il y a un temps où elles meurent. Il y a des lieux qui leur sont propices, d'autres qui ne le sont pas. Et je suis convaincu, donc, que si cette idée a survécu, si le XXe siècle a continué de nourrir l'illusion d'un temps orienté, si les démocrates eux-mêmes, les braves et gentils démocrates, y ont, eux aussi, un peu cru, si le capitalisme, comme nous disions, restait aimanté par cette obscure croyance en un temps habité par un dessein supérieur, c'est, qu'on le veuille ou non, au communisme qu'on le devait.

La fin du communisme, alors ?

Un autre temps.

Non seulement un autre espace, mais vraiment un autre temps.

Un temps qui n'annonce rien.

Un temps qui ne promet rien.

Un temps dont il n'y a, à la lettre, rien à attendre ni espérer.

Un temps sans salut.

Un temps sans projet.

Ce drôle de temps dans lequel entrait Frédéric Moreau au lendemain de l'échec de la révolution de 1848 : ce temps morne, ce temps mort, ce temps du dégrisement politique, mais aussi amoureux – n'est-ce pas le moment où il retourne voir Madame Arnoux et s'aperçoit qu'il ne l'aime plus ? – ce temps des premières pages, aussi, de *L'Education sentimentale*, ce temps ample mais étale, ce temps pour dire un fleuve qui ne veut aller nulle part, qui n'a déjà plus à tracer que des boucles et des détours, ce temps pour lequel Flaubert retrouve, d'ailleurs, ce fameux usage de l'imparfait qui fascinait Proust et qui était, déjà, comme la cadence des jours anciens.

Ce temps, donc, Flaubert l'a pressenti. Mais la révolution de 48 n'était pas, loin s'en faut ! la fin du communisme. Et c'est à notre époque qu'il aura été donné de la vivre jusqu'au bout.

Un temps sans espérance, en somme.

Le premier temps, depuis longtemps, à faire son deuil de l'espérance.

Un temps sans futur.

Le vrai temps du « no future ! ».

On nous l'annonçait, il y a vingt ans, le « no future ». Mais, là aussi, c'était trop tôt ! Beaucoup trop tôt ! Car il fallait d'abord, pour cela, aller au bout du nihilisme. Il fallait la mort du communisme. Il fallait le triomphe de la démocratie. Il fallait ce choc, cet ébranlement gigantesque et dont je ne vois, au fond, qu'un analogue : le malaise, la déréliction qui suivirent cette fameuse « mort de Dieu » prophétisée par Nietzsche dans un texte – un « mot terrible » – longuement commenté par Heidegger dans ses *Chemins qui ne mènent nulle part.* Et si nous ne le savons pas encore, si nous n'en avons pas conscience c'est que l'événement, comme dit Nietzsche, est « encore en route », qu'il n'est pas toujours ni partout « parvenu jusqu'aux oreilles des hommes », qu'il « faut du temps à l'éclair et au tonnerre » pour éclater, du temps « à la lumière des astres » pour s'éteindre, du temps aux actes, « même lorsqu'ils sont accomplis », pour « être vus et entendus » et que, même si cet acte-ci a eu lieu, même s'il est accompli, il commence à peine de « projeter sur l'Europe ses premières ombres ».

Le système de la représentation enfin.

Le rapport de l'espace, du temps, bref du monde, à leurs reflets.

Le Spectacle, en un mot – et la façon, notamment, dont il s'empare de la misère des hommes.

On a dit beaucoup de sottises sur le Spectacle. On lui a fait des procès injustes. Et je signale, d'ailleurs, que s'il y a un procès injuste, entre tous, c'est bien celui de cet « Etat-spectacle » qui serait, à entendre certains, la grande nouveauté de l'époque : si « Etat-spectacle » désigne un régime où l'image l'emporte sur la parole, la posture sur le programme, la qualité de la performance sur celle du discours ou de l'idée, l'art du paraître sur celui du gouverner – que fait d'autre le Roi-Soleil? que sont les empereurs de Chine? les rois incas? les chefs indiens? lequel est le plus «spectaculaire», de cet Etat traditionnel où, comme le rappelle Balandier, le chef n'est qu'une icône, s'exprimant par injonctions, présence muette, signes – ou de l'Etat moderne dont les chefs sont tout de même sommés, non pas malgré la télévision, mais grâce à elle, de s'exprimer un peu? et quand, enfin, Machiavel recommande au Prince de se faire acteur, quand il lui donne en exemple le moine Savonarole qui sut vendre le Bon Dieu à une Florence qui ne croyait qu'au diable, quand il dit que tout le talent du tribun était dans la voix, c'est-à-dire dans l'art oratoire, ne va-t-il pas beaucoup plus loin que tous nos communicateurs, ne fait-il pas, avant la lettre, la théorie de la société du spectacle?

Bref. Ce qui est nouveau, et qui est source de malaise, ce n'est pas le spectacle en tant que tel. Ce n'est surtout pas la politique-spectacle. Ce sont quelques-uns de ses traits – ceux qui, encore une fois, affectent le régime de notre sensibilité et de nos regards.

1. Sa permanence. Jadis, le Spectacle était codé. C'est-à-dire ritualisé. Il y avait des lieux pour le spectacle, et des lieux qui ne l'étaient pas. Il y avait des heures où le souverain s'offrait aux regards; il y avait des heures – bien plus nombreuses – où il choisissait de disparaître. Aujourd'hui, changement de programme. Le spectacle est incessant. Sans re-

lâche ni entracte. Il n'y a pas un instant – mais pas, non plus, un lieu – où nous échappions à ses messages. Fantômes du permanent. Abolition du hors-champ. C'était, selon Serge Daney, les deux caractéristiques de la télévision. C'est, visiblement, les deux lois du spectacle-monde.

2. Car le Spectacle, naguère, se donnait pour tel. Il mentait, bien sûr. Il induisait en fausseté. Mais toujours il prenait soin de dire : « voilà, c'est moi, je suis Spectacle, c'est à ce titre que je me montre, à ce titre qu'il faut m'adorer. » Et quand tel empereur émettait ses signes ou ses leurres, chacun savait à quoi s'en tenir – nul ne risquait, en plus, de les confondre avec la réalité. Là encore ce n'est plus le cas. Est-ce la généralisation du mouvement ? le devenir-images du monde ? le devenir-monde des images ? Toujours est-il qu'il est de plus en plus difficile de distinguer les choses de leurs reflets, le réel de ses images. Et si nous supportons, au fond, si bien les séquences les plus dramatiques du grand spectacle contemporain, si nous consommons la Bosnie, et après la Bosnie, le Rwanda, si nous jouissons de ces images avec tant d'indifférence, ou même de délectation, c'est qu'elles sont du Spectacle justement et qu'une part de nous ne sait trop quel statut leur donner : réelles ? fictives ? mixtes de réel et de fiction ? Mettons que ce soit des mirages. Et que ce soit l'effet du Spectacle : transformer l'horreur en mirage.

3. Est-ce à dire que, dans ce corps-à-corps entre le spectacle et le monde, l'issue soit incertaine – tantôt victoire du spectacle, tantôt avantage au monde ? Non, justement – et c'est même la troisième nou-

veauté : c'est toujours le spectacle qui gagne; c'est lui qui, depuis longtemps, a eu le dernier mot; et ceci parce qu'il a conquis le prodigieux privilège de pouvoir, non seulement épouser, mais convoquer ou présentifier les grandes séquences de l'Histoire du moment. Soit un désastre donné. Une guerre. Un génocide. On aime pouvoir se dire que l'on en est, si on le souhaite, immédiatement contemporain. Et de même que le physicien est, depuis Mach, celui pour qui l'univers est mystérieusement présent en chaque endroit et à chaque instant, de même le démocrate est celui pour qui l'humanité est énigmatiquement présente en tout sujet, à tout moment – la télévision elle-même n'avait-elle pas pour mission de donner corps à cette présence? combien de fois n'avons-nous pas dit que son mérite était de nous faire vivre à l'heure de Tien an Men quand Tien an Men se révoltait, ou à celle de la Pologne quand c'est en Pologne que la partie se jouait? Eh bien ce n'est plus vrai. Ou plus de la même manière. Car tout dépend de ce que veut, non le Sujet, mais le Spectacle – lequel a, seul ou presque, loisir de retenir ou d'écarter un événement, de l'inscrire ou de l'effacer sur les tables de son temps : à la une le Rwanda; à la trappe, le Burundi; Cuba en liste d'attente; Timor-Oriental dans les limbes éternels où errent les morts sans nom ni visage; et les morts bosniaques les rejoignent, lorsqu'on les a assez vus et qu'on les chasse de nos écrans. C'est lui, le Spectacle, qui décide. Lui qui a le dernier mot. C'est lui le grand régisseur à qui il revient d'éclairer la scène ici; de la précipiter, là, dans l'obscurité; pouvoir qui n'appartient qu'à Dieu et qui, pourtant, est bien à lui. Ce n'est pas avec le monde, c'est avec Dieu, qu'il rivalise. L'enjeu : l'esprit du monde, que le Spectacle dispute à Dieu. Guy Debord, de nouveau, à la fin de son *Panégyrique* : « pour la première fois, les mêmes ont été maîtres de tout ce que l'on fait, et de tout ce que l'on en dit. »

4. Dira-t-on qu'il en a toujours été ainsi ? que jamais le monde ne s'est offert tel quel, dans on ne sait quelle souveraine et innocente épiphanie ? que le régisseur a changé, simplement, et les règles de la régie – pas le fait qu'il y ait une régie, ni des règles, ni qu'elles aient toujours été implacables ? On peut dire cela, oui. Mais la question qu'il faut alors poser est celle, justement, de ces nouvelles règles et du type de mécanisme qui fait que cette partie-ci de la scène s'illumine, que cette autre retourne dans le noir et qu'ainsi entrent, et sortent, les acteurs de l'Histoire réelle. On les connaît, ces règles. C'est la force des images (corps souffrants du Rwanda ; on ne bouge pas tant qu'ils n'ont pas envahi les écrans). La simplicité du scénario (le choléra, oui ; la guerre, non – trop compliquée pour le Spectacle). L'effet de condensation (maximum de scènes en un minimum de temps : ce qui exclut le Burundi). Le poids des mots (et si les Bosniaques avaient eux-mêmes tiré l'obus ?). Le suspense (Sarajevo passera-t-il l'hiver ?). L'émotion (les cadavres, sanglants, sur le fameux marché). La non-répétitivité (malheur aux Bosniaques s'ils ne trouvent pas, très vite, le moyen de mourir autrement). Tous critères dont je n'ai pas besoin de souligner (d'autres l'ont fait, avant moi) la périlleuse limite : n'ont-ils pas pour point commun de s'adresser

au sentiment plus qu'à l'intelligence, de s'inscrire dans l'instant et non dans la durée – n'ont-ils pas pour commun programme de solliciter, autrement dit, cette « mens momentanea » qui était, selon Leibniz, l'une des définitions de la matière ? L'homme du Spectacle : il a de la matière à la place de l'esprit.

5. J'ajoute enfin – et c'est, probablement, l'essentiel – que l'empire de ces règles a forcément des effets sur la conduite des Etats. J'ai dit comment l'humanitaire se substituait, parfois, au politique. Il faudrait pouvoir montrer comment c'est tout le politique qui s'aligne sur les méthodes, les rythmes de l'humanitaire. Etats émotifs. Etats cathodiques. Etats quasi épileptiques dans leur façon de « répondre à l'urgence » ou de réagir à « l'imminence ». Jadis le politique avait affaire avec le destin des hommes. Il travaillait dans le temps long. Il avait pour éléments la patience, la persévérance. Aujourd'hui ce temps n'existe plus. Ou, en tout cas, il ne paie plus. Déjà l'avait entamé la ruine du principe d'espérance. A présent vient l'ébranler, presque plus profondément encore, ce régime nouveau d'apparition-disparition du monde auquel nul ne se soustrait. Un autre temps, dont on dira qu'il est celui de la pub, du clip ou du zapping alors qu'il est, simplement, celui du mode de convocation, révocation, succession des événements. Comment être visible ? Telle est, plus que jamais, la seule question. Et la réponse : vivre avec son temps ; se mettre à l'heure de ce temps qui est celui de la fièvre, de l'immédiateté, du sursaut. Quand on est chef d'Etat, faire des sommets. Chef de parti, des pe-

tites phrases. Chef de guerre, des opérations Turquoise. Policier, des opérations «coups de poing». Diplomate, enfin, des coups médiatiques.

Le Spectacle n'est décidément pas un objet (par exemple la télévision). Ni un style (que l'on pourrait échanger contre un autre). Ni même un temps (ce temps de l'instant, qui aurait triomphé du temps long). C'est une *philosophie* du temps. Une *conception* de l'Histoire. Il est, à lui seul, une entière *vision du monde* dont on pourrait presque dire qu'elle renverse l'hégélianisme, puisqu'elle passe du fameux «tout ce qui est réel est rationnel, tout ce qui est rationnel est réel» à ce nouveau slogan : «tout ce qui est réel est visible, tout ce qui est visible est le réel même.» Et c'est cette vision du monde qui, combinée à la disparition de l'ennemi traditionnel, puis à la chute du principe d'espérance, fait que, au total, nous n'intervenons pas en Bosnie, nous faisons de l'humanitaire à Kigali, nous ne nous préparons pas à ce pire que promet l'Algérie et nous sommes devenus incapables d'entendre les «prophéties» de Jirinovski.

5

Ce qu'est un lien social et comment il se rompt

Si le malaise est celui-là, s'il a cette ampleur, s'il affecte, comme je le dis, jusqu'à notre façon de percevoir les choses ou de nous orienter parmi elles, si ce sont les catégories de notre entendement et de notre imaginaire qui sont en cause, bref s'il est vrai qu'il nous frappe ainsi, au plus intime, alors il y a un dernier risque, que l'on ne peut pas ne pas évoquer.

Ce risque c'est que nos démocraties soient touchées, elles aussi, au cœur.

C'est que, par-delà leur apathie, leur inhumaine compassion, leur incapacité à défendre leurs propres valeurs en péril, par-delà ces faiblesses qui affectent leur conduite, leur régime, leur honneur parfois ou l'idée qu'elles s'en font (mais sans les empêcher encore, du moins jusqu'à présent, de vivre ou de survivre), elles soient menacées dans ces valeurs mêmes et dans leur être le plus profond.

Le risque (le dernier, mais le pire de tous, car c'est, pour toute société, l'épreuve ultime – et la seule à laquelle nulle ne résiste) c'est que soit corrodé, et déjà prêt à lâcher, non plus seulement leur âme ou leurs principes, mais le nœud de leur lien social : ce qui fait qu'elles sont des sociétés, qu'elles rassemblent leurs sujets et que ce rassemblement tient à peu près.

Rien n'est plus fragile, chacun le sait, qu'un lien social.

C'est la chose la plus énigmatique, la plus impalpable qui soit (« tout n'y tient que par magie », disait Valéry) et c'est aussi la plus précaire.

C'est comme ces grâces qui ne s'expliquent qu'une fois qu'elles vous ont quitté – ces charmes que l'on ne mesure qu'une fois qu'ils sont rompus.

On l'a vérifié au Rwanda où, du jour au lendemain, d'immenses troupes d'hommes se sont jetées sur d'autres hommes et ont inventé, pour les dépecer, des gestes inédits.

On a vu en Bosnie, au cœur de l'Europe, tous les repères s'effondrer et, parmi ces hommes qui vivaient ensemble depuis des siècles, apparaître des haines que nul, ou presque, ne soupçonnait. Ce témoignage, de tous mes amis de Sarajevo : « ils étaient nos voisins; nous pensions qu'ils étaient nos frères; nous avions passé ensemble l'essentiel de notre vie; qui eût pu se douter qu'ils nous haïssaient à ce point ? on ne sait jamais à quel point on est haï de son voisin. »

Alors, bien sûr, nous ne sommes pas rwandais.

Ni bosniaques.

Et on voit bien l'intérêt que l'on peut avoir à souligner la différence; on voit qu'il y va de notre salut, quand on renvoie ces deux drames à des haines ancestrales, recuites par des siècles d'inimitiés tribales – et qui, par définition, ne concerneraient pas nos vieilles et pacifiques nations.

Mais je ne crois pas à ce mythe des haines ancestrales (pas plus que je ne crois à celui, symétrique, des vieilles et pacifiques nations).

Je crois que les Bosniaques, ou même les Rwandais, vécurent plus harmonieusement qu'on ne le dit (et je sais, inversement, que la France et l'Allemagne, pour ne parler que d'elles, se livrèrent trois guerres en trois quarts de siècle – et que c'est beaucoup lorsque l'on se présume étranger à ces histoires de guerres, violences, génocides, camps).

Je crois, autrement dit, qu'il y a une leçon de la Bosnie et qu'il pourrait y avoir une leçon du Rwanda. J'ai envie de dire comme Bernanos, au lendemain de la guerre d'Espagne, après qu'il eut vu, de ses yeux, un « petit peuple chrétien, de tradition pacifique, d'une extrême et presque excessive sociabilité, s'endurcir tout à coup », après qu'il eut vu « se durcir ces visages et jusqu'aux regards des enfants », j'ai envie de dire, comme lui, et Dieu sait si la référence ne m'est pas familière, que c'est le monde qui est « mûr pour toute forme de cruauté ».

Je crois à des explosions de haine et de fureurs.

Je crois à des mouvements de désespoir qui passeront, en violence, ce que les âges anciens ont connu.

Je crois que nous verrons des révoltes étranges, car filles d'un âge désenchanté.

Je crois que les révoltes des temps désenchantés

pouraient être plus violentes encore, plus meurtrières, que les révoltes de la faim, de la misère – celles qui, au plus profond de leur détresse, aspiraient à un monde meilleur.

Je crois à des guerres sans foi.

Je crois à des détestations nues.

Je crois que nous avions raison, en 1968, lorsque nous reprochions au marxisme de « raréfier les pratiques de révolte ». Nous avions tort, sans doute, de le déplorer. Mais nous ne nous trompions pas en le disant. Car il est vrai que des révoltes qui ne seraient plus portées par une espérance seraient comme des lueurs brèves, aveuglantes, mais sans autre lendemain que le triomphe du nihilisme.

Je crois au retour de la haine. On pensait qu'elle était partie. On se disait : « quelle bonne nouvelle ! la haine, c'est comme les loups ! elle a disparu de nos contrées ! » Quelle erreur ! La haine revient toujours. On n'en finit jamais avec la haine. Jamais l'homme ne domestique le loup qui dort en l'homme. Vous pensiez en avoir fini ? Vous vouliez une humanité que l'on aurait guérie de la haine comme on retire un nerf inutile ? Autant vaudrait lobotomiser l'espèce. Autant vouloir décréter : ce sera tous les jours dimanche. Vous verrez ce qu'il en coûte, à une société, de croire qu'elle abolit sa part maudite.

Je crois que l'on sort, pour de bon, de l'âge marxiste : bourgeois d'un côté, prolétaires de l'autre – et, entre eux, un affrontement ritualisé. Et je crois que l'on rentre dans un âge que le marxisme pensait avoir combattu, puis périmé : les producteurs d'une part (prolétariat compris), les improductifs de l'autre (exclus, SDF, sans droits divers, clandestins, salariés précaires, jeunes des banlieues) – et, entre les deux, entre les zones, des formes d'affrontement sauvages, peut-être sans merci.

Je crois, dans les banlieues, à la multiplication des nouveaux pauvres, ou des inaptes, ou des réfractaires. Je crois que le système, au point de son développement où il se trouve, les produira en très grand nombre. Et je crois qu'ils formeront de puissantes masses, soit échauffées, soit inertes – mais que leur inertie même dotera d'une force insoupçonnée. Ils n'annonceront rien. Ils ne promettront rien. Ils n'attendront plus, du reste, la moindre promesse de quiconque. Ils seront là, simplement là, avec leurs pauvres corps chahutés, leurs visages et leurs regards usés, ce temps mort qui sera celui de leur vie, ce tournoiement de passions éteintes – et puis, sans crier gare, des gestes d'exécration, et de déstabilisation, inédits.

Je crois que les banlieues sont en train de devenir des zones grises, rendez-vous de toutes les misères et de toutes les amertumes.

Je ne crois pas que l'on puisse vivre, dans certaines de ces banlieues, sans avoir le sentiment d'entrer, vivant, dans la mort – et je ne vois pas que l'on puisse, non plus, y éviter d'apostropher un jour l'autre peuple, celui des nantis, pour lui dire : « ces vies parties en fumée, ces vies pour rien, ces vies où l'on a perdu, à force, jusqu'au souvenir et au sens des saisons parce que c'était tous les jours l'hiver, il faut payer, maintenant, pour ces vies ; il faut réparer ou payer. »

Je crois, puisque j'ai parlé de la Bosnie et que je

parle, ici, des banlieues, qu'un jour les musulmans des banlieues de France nous feront payer, aussi, notre politique d'abandon des Bosniaques. Depuis des années, on leur disait : « laïcisez-vous; intégrez-vous; soyez de bons musulmans; devenez des Européens modèles; entrez dans le moule, démocratique, que nous vous offrons – et vous aurez, en échange, l'égalité, les droits, la prospérité, la République. » Eh bien ces bons musulmans existaient. Il y avait, en Europe, des musulmans selon notre vœu. Ils étaient laïcs et modérés. Républicains et démocrates. Ils l'étaient naturellement, sans effort particulier. Et loin de leur ouvrir les bras, nous avons détourné le regard et, le Spectacle passé, éteint les projecteurs. Comment s'étonner s'il se trouve un jour, en France, des musulmans pour nous faire honte de notre mensonge, de notre imposture ?

Je ne crois pas à la crise des banlieues. Car c'est la ville elle-même qui est en crise – l'urbanisme et l'urbanité, la civilité et la civilisation : ces villes malades de la peste, disait, il y a trente ans, un bâtisseur de villes; aujourd'hui, la peste a gagné; car la peste c'est la pauvreté ; et aurait-on dénombré, puis parqué, tous les pauvres des villes, qu'il resterait les pauvres en esprit qui en constituent la majorité.

Je ne crois pas à la crise tout court. Car le mot est trop faible pour dire le désordre qui s'annonce. Et si on ne parlait de « crise » que pour conjurer des catastrophes plus globales ? et si c'était comme un antidote – une façon de nous habituer au pire, de nous mithridatiser contre le pire ? On ne peut croire à la crise que lorsqu'on ne croit plus à la mort; or elle est ici, la mort, au moins aussi présente que dans les villes des empires finissants.

Dieu sait si j'aime les villes, si j'ai rêvé et erré dans les villes. Mais je crois que nous assistons au commencement de la fin des villes.

Attendez quelques dizaines d'années. Quelques années peut-être. Ce sont les poèmes de Baudelaire, et les promenades de Walter Benjamin, et *Le Paysan de Paris* d'Aragon, qui nous seront devenus indéchiffrables. Qui, dans dix ans, saura encore ce qu'est un « paysan de Paris » ?

Je crois que les grandes métropoles seront, de plus en plus souvent, la proie des mafias et des ghettos – voyez Los Angeles.

Je crois à une prolifération de guerres, qui seront toutes des guerres civiles.

Je crois à la multiplication des « caoten » en Allemagne, cette version moderne des « voyous publics » de Nietzsche.

Je crois qu'ils sont, en effet, néonazis mais que ce néonazisme est devenu une forme de radicalité.

Je crois que les « caoten », et autres « skinheads », nous ont entendus prêcher qu'il fallait conserver la mémoire du nazisme et que leur manière à eux de se souvenir est de profaner les tombes juives, et de brûler les foyers d'immigrés turcs.

Je crois que des Etats entiers tomberont sous les coups des mafias planétaires; et que, si ce n'est pas sous leurs coups, ce sera entre leurs mains; et que point n'est besoin, pour le vérifier, d'aller jusqu'en

Colombie – voyez l'Italie où la loge P2 a fini par réussir son putsch; et à visage découvert : celui de Silvio Berlusconi.

Je crois à un devenir-ghetto du monde, et à un devenir-mafia de la planète. Et je crois que l'on ne s'en tirera pas en grommelant, comme font déjà les malins : le monde n'a jamais été qu'un conglomérat de ghettos; les Etats, des mafias déguisées; les sociétés civiles, des associations de malfaiteurs contractualisées – alors, que les choses soient enfin dites, que l'humanité passe aux aveux, est-ce que ce n'est pas mieux? est-ce qu'il faut jouer l'étonné quand tombent les masques du monde?

Je crois à un émiettement du monde. Et à une pulvérisation des Etats. Et à une dissolution des vieilles et pacifiques nations.

Je crois à la dissolution par fragmentation, ébullition, liquéfaction. Je crois, avec Spinoza, qu'« il y a plus d'une façon de périr »; et je crois que l'on expérimentera toutes les façons possibles, pour une humanité, de se dissoudre.

Je crois à des dissolutions invisibles – un mouvement de retrait chez certains, un recul soudain, une certaine qualité d'absence, ou de distance, ou de folie, dans les regards.

Je crois que le Nord de l'Italie finira par se séparer du Sud et que, aux Etats-Unis, la guerre de Sécession reprendra – mais ailleurs, sous d'autres formes : wasps contre latinos; blancs et gens de couleur; autant de guerres que de villes; autant de sécessions que de mégalopoles.

Je crois à des effondrements doux.

Je crois à des effondrements brutaux, mais secs, sans mots, et que rien n'aura annoncés.

Je me souviens du temps où je voulais écrire un livre qui s'appellerait *La fin de la dialectique*. Je n'ai pas écrit le livre. Mais la dialectique a fini sans moi. Au temps de la dialectique, il y avait l'ordre du monde; et puis, dans les entrailles du monde, riche d'une frêle et incertaine existence, il y avait l'ordre suivant qui poussait, mûrissait, puis naissait. La fin de la dialectique voudra dire : un seul ordre, puis un grand désordre; l'ancien pourra s'abolir sans que le nouveau se soit annoncé.

Je crois qu'il peut arriver à nos sociétés ce qui est arrivé à celles de l'Est – un affaissement brutal, sans vraie raison; ce que le KGB n'a pas pu empêcher, comment nos polices démocratiques auraient-elles le pouvoir de le conjurer?

J'ai lu, l'autre jour, qu'un New-Yorkais sur deux croit que la fin du monde est proche et je crois que ce sentiment ne fera, désormais, que croître.

Quatrième partie

REPONSE A LA QUESTION : QU'EST-CE QUE LE POPULISME ?

1

L'invention de l'Autre

Les démocraties savent, bien entendu, qu'un nouveau danger menace.

Elles savent (et si elles ne savent pas, elles sentent) que la barbarie relève la tête, au moins sous son visage islamiste.

Et elles sont conscientes surtout (et quand elles ne le sont pas, elles l'éprouvent, fût-ce confusément, dans la vie de chaque jour) qu'à l'offensive externe s'ajoute cette décomposition plus insidieuse, et qui vient, elle, de l'intérieur.

Comment réagissent-elles, alors ? Comment ripostent-elles ? Et ce risque, notamment, de dissolution du lien social, comment vont-elles s'y prendre pour tenter de le prévenir ?

Mon sentiment est qu'elles y répondent, d'abord, par la panique.

C'est-à-dire par une série de petites parades, affolées et fiévreuses, dont le but est de réinjecter un peu de fermeté dans une société qui se liquide.

Un sauve-qui-peut, en somme.

Une sorte de garrot, destiné à stopper, à tout prix, l'hémorragie.

Et ce, même si le prix à payer s'avère, au bout du compte, presque plus lourd encore que celui du malaise dont on était censé sortir.

Première parade, premier garrot : fabriquer de l'altérité.

C'était l'une des sources du désarroi. Ce sera, donc, l'une des répliques. Puisque la société souffre de ce défaut d'altérité, puisqu'elle n'a plus son vieux rival et ne sent plus, à ses côtés, cette ombre familière qui l'avait longtemps bordée, puisque cette positivité nouvelle lui donne, en un mot, le vertige, elle part à la recherche de sa négativité évanouie et s'emploie, très logiquement, à rétablir la symétrie.

Elle a deux solutions pour cela.

Soit reconnaître, puisqu'il existe, le réel et nouvel ennemi dont l'Histoire, en se réveillant, paraît l'avoir dotée. L'isoler. Lui donner son nom. Dire : « l'intégrisme, dans ses versions islamique, serbe, ou autres, est, désormais, la vraie menace » – et l'affronter. Mais c'est supposer une société qui aurait rompu avec son apathie, sa compassion, sa religion de la paix, sa peur de la guerre. C'est imaginer le problème résolu.

Soit – et c'est une attitude évidemment plus conforme, hélas, à l'état présent des esprits – hésiter face aux conséquences qu'aurait pareille audace. Reculer devant l'obligation qu'elle nous ferait de mettre, en Bosnie par exemple, ou au Rwanda, ou dans notre traitement des cas Nasreen et Rushdie, quelques-uns de nos actes, au moins, en conformité avec notre discours. Et s'engager, alors, dans une tout autre aventure qui consistera à se fabriquer des altérités de substitution ; s'inventer des ennemis plus commodes et qui n'exigeront pas d'excessive détermination ; déployer une grande énergie pour dessiner une extériorité qui ne soit, par définition, plus celle du communisme mais qui ne soit pas non plus celle, embarrassante, redoutable, de l'intégrisme. Des rivalités fictives, en quelque sorte. Des semblants d'antagonisme. Des extériorités avantageuses dont la vertu sera de *tenir le rôle de l'Autre, sans être tout à fait lui.*

Ce sera le « Sud » par exemple – un vaste « Sud » indifférencié qui ira du Bangla-Desh au Rwanda, ou de l'Algérie au Burundi, et qui, dans les imaginaires du moment, fera un honorable candidat à la succession de « l'Est » : le Sud et sa « misère » ; le Sud et ses « menaces » diffuses ; ce Sud « famélique » et « barbare », « arriéré » et « sauvage », ce Sud qu'il faudrait « contenir » et autour duquel on envisage, comme au beau temps de l'Empire romain, de fortifier une manière de nouveau « limes ». Ce « Sud » n'a pas de sens. Il n'a, donc, pas de frontières. Mais l'idée, elle, est bien là – qui offre, à bon compte, une *image* de l'altérité.

Ce sera « l'Islam ». Pas l'intégrisme, *l'Islam.* Et tant pis si le mot, pris comme cela, n'a pas non plus de sens. Tant pis si l'Islam n'est pas un bloc et s'il est absurde de confondre dans la même inimitié le Maroc et le Pakistan, la Turquie (membre de l'OTAN) et la Syrie (Etat terroriste). Tant pis si les deux principaux Etats du monde *islamique*, ceux dont le poids politique, stratégique, économique, est le plus lourd (la Turquie donc, et l'Indonésie) ne sont pas *islamistes* et sont les alliés de l'Occident. Et tant pis, enfin, si, en mélangeant tout, en diabolisant l'Islam, on fait l'impasse sur cette part du monde musulman qui refuse l'intégrisme, lui résiste et, dans la lutte que nous devrions lui mener, serait notre meilleur allié.

Ce sera le terrorisme. On prendra un air martial et on dira : « le terrorisme, voilà l'ennemi ! guerre totale au terrorisme. » Sauf qu'on préférera, là aussi, s'en prendre au terrorisme défait qu'au terrorisme triomphant – ne poussa-t-on pas l'habileté jusqu'à négocier avec un Etat terroriste actif (le Soudan) la livraison d'un terroriste à la retraite (Carlos) ? et n'eut-on pas l'impudence, alors, de présenter l'opération comme une victoire de la démocratie ?

Ce sera « la » délinquance, perçue, de nouveau, comme un tout, sans examen ni vrai motif : cette figure du « délinquant », largement construite, élaborée, chimérique, qui est supposée hanter nos villes, les convoiter, bientôt les dominer – et alimente, en attendant, le discours sécuritaire.

Et puis ce sera, bien sûr, « l'immigré », cette autre figure maléfique, porteuse de tous les péchés, et dont la modernité démocratique, gauche et droite confondues, sous tous les gouvernenements ou presque, ne se lasse pas de sonder la « question » – ne reculant pour cela, on l'observera, devant rien : ni l'infamie de la chasse aux clandestins, les charters, le parc de rétention sous les locaux du Palais de justice de Paris ; ni le risque de voir ébranler, par cet activisme policier, la confiance portée au Droit; ni l'inconvénient de voir remis en cause – avec, notamment, le nouveau code de la nationalité – quelques-uns de nos plus solides principes républicains; ni la perspective, enfin, comme au moment de la guerre d'Algérie, de laisser s'instaurer des mesures d'exception dont nul n'a jamais su jusqu'où elles vont, le temps qu'elles durent, ni le type d'accoutumance qu'elles provoquent dans la Cité.

Que cette « question » de l'immigration soit, comme les autres, une fausse question, qu'il n'y ait pas, à proprement parler, de « problème » de l'immigration et que le seul « problème » sérieux – le seul qui, en tout cas, ne soit pas soluble dans de simples mesures techniques – soit celui de ces sociétés qui doivent, pour se retrouver, constituer l'Immigré en « problème » et en « question », n'a, là non plus, pas d'importance.

Car l'important, ce n'est pas eux, mais nous. Ce n'est pas la réalité du danger, mais le besoin que nous en avons. Ce n'est pas l'immigré réel – pas plus que ce ne sont les délinquants réels, les musulmans réels, etc. – mais l'image de lui qu'il nous faut pour sortir de notre néant.

L'essentiel, en un mot, c'est que le cliché fonctionne et qu'il remplisse son office symbolique; c'est que la société, en le fabriquant, ait le sentiment de trouver son viatique et de se retrouver elle-même; l'essentiel, et tout est là, est de se donner un ennemi plausible *qui ne soit surtout pas l'ennemi réel* : démarche qui ne paraîtra tortueuse qu'aux faux naïfs ou aux vraies dupes – et qui est, très précisément d'ailleurs, celle qui, chaque année, à la même saison, préside au rebondissement de l'affaire dite des « foulards ».

Que le port du foulard soit un signe d'intégrisme, personne n'en disconviendra.

Je suis, plus que quiconque (et à l'école autant qu'ailleurs), partisan de ne pas transiger quant aux principes d'une laïcité qui est le commencement – et, quand elle est bafouée, la fin – de l'Etat républicain.

Et j'ajoute, afin que les choses soient claires, que je trouve particulièrement inquiétant de voir des lycéens descendre dans la rue pour réclamer, mais oui ! la « liberté » pour les porteuses de foulard : comme si la seule liberté n'était pas celle qui émancipe de la tradition quand la tradition opprime ; des clergés, quand les clergés sont obscurantistes ; des familles, même, quand c'est à travers les familles que se transmet la soumission !

Mais cela étant dit, et ce principe étant réaffirmé, je pose une *autre* question.

Faut-il que toute notre ardeur militante, tout notre refus de l'intégrisme, se polarisent sur le cas de quelques fillettes, asservies aux familles, au clergé, à la tradition ?

N'est-il pas troublant que des gouvernements qui font la sourde oreille quand on prononce le nom de Salman Rushdie et qu'on leur suggère, tant que durera la fatwah, une politique de fermeté face à l'Iran, ne retrouvent leurs réflexes, et leur fermeté, que dans ces affaires de cour de lycée ?

Mieux : n'est-il pas extravagant de voir qu'aujourd'hui, alors que ce livre est sous presse, les mêmes hommes marchandent à Taslima Nasreen un visa d'entrée en France, reculent devant le risque de provoquer, en l'accueillant, les fondamentalistes – mais font montre d'une soudaine et belle vaillance pour exhorter un proviseur de Goussainville ou de Mantes-la-Jolie à « ne pas céder » au même fondamentalisme ?

Et n'y a-t-il pas, pour tout dire, quelque chose d'un peu ridicule dans le spectacle d'un Etat, et au-delà de l'Etat, d'un pays, dont le système éducatif est notoirement en ruine et qui dépense une telle énergie pour, à coups de reportages télévisés, déclarations ministérielles fracassantes, débats d'intellectuels, pétitions, démarches disciplinaires diverses, produire de toutes pièces un « coupable » : cette poignée de « beurettes » dont, pour parler comme Kafka, « les pattes de derrière collent encore » à la religion du « père » sans que leurs « pattes de devant » n'aient encore trouvé de « nouveau terrain » – et qui, sous prétexte qu'elles viennent à l'école en tchador, deviennent les uniques responsables de notre désastre éducatif, l'unique problème à régler par ceux qui en ont la charge et la manifestation la plus éclatante, enfin, de l'assaut des intégristes contre la démocratie.

On pourrait plaider, sans doute, qu'il faut un début à toute chose et que c'est peut-être ainsi, après tout, que commence la résistance.

On pourrait dire : « on ne sait jamais comment les idées cheminent ; allez savoir si cet épisode, en effet dérisoire, n'aura pas été, pour beaucoup, le révélateur, le détonateur. »

Bizarrement, je n'y crois pas.

Je le souhaite, bien sûr. Mais quelque chose, en moi, hésite à y croire. Et je ne vois que trop, surtout, à quel *autre* usage servent déjà ces fillettes si opportunément diabolisées.

Une négativité possible, voilà ce qu'elles sont, pour l'heure.

Une figure inoffensive, mais une figure tout de même, de cet islamisme dont on nous dit, avec de beaux mouvements de menton, qu'il est notre principal ennemi, voilà ce qu'elles représentent.

Et il est difficile, alors, de ne pas se demander si tel n'est pas, au fond, le dessein et si, par-delà le problème de l'école, l'urgence n'est pas, ici aussi, de produire, coûte que coûte, ce que, dans l'art de la guerre, on appellerait un leurre : une altérité feinte, mais présentable, qui aura le double mérite de nous dispenser de qualifier, et combattre, l'altérité réelle – et d'aider à reconstituer, néanmoins, un peu de notre piété sociale.

L'Occident démocratique, dans ce cas comme dans les autres, n'est pas seulement xénophobe, il est xénogène.

Il ne hait pas son bord, il le fabrique – et le fabrique pour, justement, n'avoir pas à le haïr.

Forger une altérité qui n'en soit pas une, désigner l'adversaire sans le nommer ou le nommer sans le désigner, se donner une image de la menace assez proche de la réalité pour être plausible et assez loin pour être sans risques, bref, fustiger l'intégrisme sur un ton qui donne à penser que l'on est résolu à lui faire la guerre mais sans que l'on soit contraint, pour autant, d'intervenir à Sarajevo, ni d'arrêter le génocide rwandais – telle est la forme, aujourd'hui, de cette xénogénie; et tel, le premier stratagème déployé par nos démocraties malades.

2

De l'inutilité d'une certaine mémoire

Seconde parade, second stratagème : se refaire une mémoire.

Souvent, on demande : « pourquoi les sociétés modernes sont-elles devenues si malhabiles à tirer les leçons de leur passé ? »

On dit : « elles le connaissent, ce passé ; il n'a, souvent, plus de secret pour elles ; pourquoi, alors, n'en font-elles rien ? pourquoi les éclaire-t-il si peu ? d'où vient qu'elles connaissent tout du fascisme par exemple, qu'elles lui aient enfin appliqué la sainte prescription du souvenir – et que, lorsque le fascisme revient, elles se retrouvent si démunies ? d'où vient qu'elles jugent Touvier et pas Mladic ? Auschwitz et pas Prjedor ? d'où vient que ce qu'elles savent de Touvier, et d'Auschwitz, ne les ait pas aidées à réagir à la Bosnie ? d'où vient, en un mot, que la mémoire ne serve à rien ? »

Réponse. Elle sert à quelque chose, mais pas à cela. Elle a une fonction, mais qui n'est pas celle-là. Et sa fonction est de faire, dans l'ordre du temps, ce que faisait, dans celui de l'espace, la refabrication de l'ennemi – elle est, à coups d'anniversaires et de jubilés, de commémorations et de souvenirs, d'aider à la reconstitution du lien social défait.

Regardez comme elle fonctionne, d'ailleurs.

Regardez comme la machine à commémorer s'emballe, depuis quelque temps.

Ce sont des anniversaires, donc.

Des hommages à tout propos.

C'est un climat de célébration, de dévotion quasi permanente.

C'est une manie. Une hystérie. C'est comme une industrie du souvenir qui tournerait à plein régime.

On a l'impression d'un déferlement, d'une accélération des rythmes et des délais, comme si la communauté ne voulait – ne pouvait – se priver d'aucune occasion de fêter sa propre historicité.

Tout y passe. L'essentiel et l'accessoire. Le grand et le petit. La Révolution française, et le TGV. Auschwitz, et un pas sur la Lune. L'affaire Dreyfus et la naissance d'un restaurant parisien. Touvier bien sûr – mais la mort de Claude François. Le bicentenaire de la mort de Voltaire – mais aussi le cent cinquantième anniversaire de la publication de tel de ses livres. Et si ce n'est pas de sa publication, eh bien ce sera de sa conception ! ou de sa réédition ! ou de sa forclusion ! ou de sa réexhumation ! Et quand on en aura fini avec Voltaire, ce sera le tour de Rousseau ! et de Diderot ! et de Malraux ! Et quand on en aura fini avec les gros, ce sera celui des petits ! Et quand on en aura fini avec le passé lointain, on en arrivera au passé proche ! et au passé tout proche ! et au quasi présent ! L'événement sera à peine froid, il sera tout juste passé, hop ! la machine s'en sera emparée ! elle en aura fait de l'Antique ! il sera en bonne place, déjà, dans nos musées !

Un pronostic : la décennie ne sera pas achevée qu'elle aura sa rétrospective.

Mitterrand n'aura pas quitté le pouvoir, que l'on fêtera l'anniversaire de son départ.

Balladur sera à peine à l'Elysée, que l'on fera des expositions sur son passage à Matignon.

L'événement ne sera pas survenu qu'il sera, à la limite, mémorialisé.

Vite ! vite ! De la mémoire ! Du présent faisons du passé ! Que le mort saisisse le vif ! Que la mort étouffe les vivants ! Que les écrivains vieillissants, mais *incontestablement* vieillissants, soient encensés, canonisés, panthéonisés de leur vivant ! Car telle est désormais la loi, la seule loi, en la matière : il n'y a pas de vie qui ne doive finir, et au plus tôt, en souvenir ; il n'y a pas d'événement qui ne mérite de revenir, et revenir encore, indéfiniment. Et peu importe l'événement. Peu importent son poids, son importance, sa pertinence. Toutes ces notions sont périmées. Ces critères, hors d'âge et d'usage. Un événement est un événement. Un souvenir est un souvenir. N'importe quoi fera l'affaire dès lors qu'il offre l'occasion de fêter et de pavoiser. Et c'est ainsi que l'on put assister, dans la seule journée du 15 août 1994 qui était aussi – est-ce un hasard ? – le jour de l'Assomption de la Vierge, à l'hallucinant télescopage de ces trois voyages dans le temps : la commémoration, plus solennelle qu'elle ne le fut jamais, du débarquement de Provence, de ses vétérans, de ses revenants ; l'arrestation, à grand fracas, d'un homme, Carlos, qui était le vétéran d'un terrorisme mort et qui portait le nom (Ilitch) d'un revenant de la révolution ; et puis, dans la même journée toujours, la commémoration de Woodstock, le concert-culte des années soixante : le même concert, le remake presque parfait, avec T-shirts, sponsors, droits TV, cartes de crédit, la fille de Jimi Hendrix montant en scène pour réclamer ses royalties, les préservatifs obligatoires à l'entrée, la télévision qui cherchait à retrouver les angles d'il y a vingt-cinq ans, les parkings géants, des clones de hippies, nus, mais avec téléphone portable, Bob Dylan et son harmonica, la pluie, les communiants hurlant « No rain », les hôpitaux de campagne dont les surplus iraient – époque oblige ! – au Rwanda...

On observera que cette mémoire est une mémoire dévote, non critique, que l'on consomme en aveugles, dans la posture de la génuflexion – comme si l'autocélébration béate faisait désormais partie des exercices spirituels.

On notera que c'est une mémoire légendaire, donc confuse, qui n'apporte généralement pas grand-chose à la connaissance de l'événement célébré : qu'est-ce que nous a réellement appris cette profusion d'images et d'informations sur les débarquements de Provence et de Normandie ?

On remarquera que si son objet n'est pas le présent (penser la Bosnie à partir du nazisme ; mesurer les crimes du jour à l'aune de ceux d'hier), il n'est pas non plus vraiment le passé : sentait-on, dans l'affaire du Débarquement encore, le vrai désir de conserver? la vraie piété? un désir réel de ne pas oublier – le si beau «Zakhor» biblique – afin d'instruire les générations à venir? sentait-on cette volonté, dont parle Tacite, de rendre justice aux «qualités morales» des héros (crainte qu'elles ne «tombent dans l'oubli») ou de stigmatiser «ce qu'il y a de mauvais» dans la scène commémorée (crainte que la «postérité» n'oublie son «infamie»)?

Et puis on sera attentif enfin, mais sans trop s'en étonner, au fait que c'est une mémoire flatteuse, si possible positive, une mémoire qui fait du bien, qui rassure : quel tollé quand un imprudent s'avise de lever un coin du voile sur les zones les plus sombres de l'histoire de la communauté! quelle colère, chez les intellectuels, quand un universitaire étranger s'introduit, par effraction, dans leur joli musée Blanchot et vient nous dire que l'auteur de *Thomas l'obscur* fut, dans les années trente, un jeune publiciste fascisant! et quelle étrange manière, enfin, de crier à la curée lorsque les amateurs de vraie mémoire essaient de s'expliquer comment un président de la République française, restaurateur du socialisme national, a pu être si longtemps pétainiste et, peut-être, le rester!

Narcissisme alors? Passion de soi au passé? Spectacle? Besoin, frénétique, d'alimenter une machine qui aurait son propre régime? Oui, sans doute. C'est cela. Mais il y a l'autre maladie, la vraie, celle qui affecte le lien social, détruit les valeurs dont il se prévalait et commence de ruiner les raisons que nous avions de vivre ensemble : c'est elle, évidemment, qui commande; et c'est à y remédier que sert cette orgie de mémoire pipée.

Dans la vie d'un individu, ce type de mémoire totale, presque délirante, cette façon de se laisser gagner, envahir, par ses propres traces, a un nom – que Nietzsche lui a donné : le « ressentiment ».

Dans l'ordre collectif, quand c'est la communauté qui rumine et ressasse, quand c'est le corps social qui macère dans le passé, quand il va, à tout propos, puiser dans les nappes de sa mémoire dorée et qu'il y reverse, en retour, tout ce dont l'actualité le dote, le symptôme est voisin, le nom pourrait être le même – et l'on voit bien que l'opération a toujours le même objet : redonner à la communauté l'identité qu'elle n'avait plus.

Mémoire totem.

Mémoire tabou.

La Mémoire comme société.

La mémoire comme lien social.

Lien social se dit religion, et la mémoire est notre religion.

Comment dire que la mémoire ne sert à rien, quand elle est, en réalité, *notre dernière religion civile*?

3

Le nationalisme a toujours tort

Troisième parade : le nationalisme.

C'est encore le moyen le plus simple, j'allais dire le plus classique.

Une société perd ses repères ? Elle ne sait plus qui elle est, ni ce qui la rassemble ? Qu'à cela ne tienne ! Elle réveille le sentiment national. Stimule la fibre patriotique. Elle ressuscite les valeurs les plus grossières et, d'une certaine manière, les plus anciennes – ce qui reste quand le reste flanche, ce qui tient quand tout s'écroule : cette identité bouée, cette identité recours, cette identité fruste, mais solide, qui est, à la lettre, dans ces situations, la dernière des identités.

C'est ce qui se produit, dans les années trente – quand, pour résister à ce que Drieu appelait la « colique » démocratique, la France, de la droite à la gauche, et de Maurras à Vaillant-Couturier, communie dans l'amour du terroir, la gloire de Jeanne-la-paysanne et le mépris de l'anti-France.

C'est ce qui advient dans l'Europe des années

quatre-vingt-dix – où, confrontés aux risques d'une autre « colique » politique et d'une liquéfaction, sans précédent, du lien social démocratique, des peuples entiers se crispent sur les robustes assurances du sol, du sang, de la patrie et se retranchent frileusement derrière les valeurs nationales retrouvées.

Valeurs en hausse en Allemagne – mais aussi dans la France de Messieurs Le Pen, Pasqua, de Villiers.

Valeurs refuges sur toutes les places électorales : l'Italie de Silvio Berlusconi et de l'« Alliance nationale » de Gianfranco Fini – mais aussi la Grèce de Papandreou, l'Autriche de Jörg Haider, la Belgique du « Vlaams Blok » flamand et du « Front national » bruxellois.

Repli, partout, dans l'ensemble de l'Occident, sur cette certitude épaisse, en quoi consiste, au fond, toute la *réduction* nationaliste : « je suis l'enfant d'un pays et, à cette filiation, se réduit mon identité » ; ou bien : « je suis ancré dans un territoire et c'est à cet enracinement que tient toute ma vérité. »

Il y a les nationalistes classiques, pour qui ce territoire est celui de la nation proprement dite : exaltation du drapeau, défense de la langue française, effets de manches, haine de l'Europe, jacobinisme, méfiance à l'endroit de tout ce qui pourrait émietter la sainte nation.

Il y a les nationalistes de clocher qui désavouent, en apparence, le modèle de base mais ne font, en réalité, que retrécir le territoire, rapprocher la frontière, donc miniaturiser le dispositif : antijacobinisme ; guerre à la nation jugée étouffante, ou lointaine ; mais repli sur des patois, des folklores, un patriotisme du lieu-dit, un chauvinisme du local, qui fonctionnent, au total, exactement sur le même régime.

Il y a des antinationalistes affichés qui, sous prétexte de «fédéralisme» ou, même, d'amour de l'«Europe», clament que le cadre national est, au contraire, «trop étroit» et qu'ils entendent le «dépasser» : mais, là aussi, le schéma est le même; là encore, on transporte dans un cadre, en effet, plus vaste, le type de rapport au sol, à la frontière, etc., qui caractérisait la crispation nationaliste.

Dans tous les cas, le réflexe est identique : désigner un espace, quel qu'il soit, où puisse se fixer la communauté; élire un lieu, quelle qu'en soit la dimension, où, face à la panique générée par la liquéfaction menaçante, face, aussi, à la fluidité accrue du marché, la folle circulation de ses signes et de ses biens, sa déterritorialisation généralisée, ses déracinements forcés, la communauté en question ait le sentiment de trouver une assiette.

Je propose d'appeler «topomanie» cette recherche effrénée d'un sol où se résume, et s'épuise, l'identité d'un peuple. Et je dis que l'Europe, dans son ensemble, et sous des pavillons divers, est en train, pour son malheur, de redevenir topomane.

Objectera-t-on qu'il y a une bonne et une mauvaise topomanie ?

Un nationalisme régressif, abrutissant, voire meurtrier – et un autre qui, à l'inverse, n'aurait pas de raison d'être moqué, ni attaqué, car c'est à travers lui que se réalise la liberté ?

C'est la thèse qu'a développée, en France, au moment de l'éclatement de la Yougoslavie et de la naissance de la Slovénie et de la Croatie, tout un courant de pensée favorable aux «petites nations».

C'est la thèse, aussi, de ceux – les mêmes? – qui voient dans le modèle national, au moins dans sa forme jacobine, le moins mauvais des remparts contre ce retour des ethnies qui menace l'Europe post-communiste.

Je ne crois pas à cette thèse. Je la trouve pernicieuse et, de surcroît, mal fondée. Et je voudrais, d'un mot, tenter de dire pourquoi.

Défendre le nationalisme aujourd'hui, distinguer le nationalisme «pervers» d'un autre qu'il faudrait «encourager», c'est toujours avoir en tête – derrière la tête – deux idées.

La première : Rousseau versus Herder; les droits de l'homme contre ceux de la race et du sang; les «bonnes» Lumières françaises contre le «mauvais» romantisme allemand; le nationalisme des soldats de l'an II qui quittent, du jour au lendemain, le village où s'était, jusque-là, borné leur horizon – et puis, face à eux, un nationalisme ténébreux, qui culminera, un peu plus tard, dans le *Discours à la nation allemande* de Fichte.

Or est-on si certain, justement, du partage?

D'où tient-on qu'il soit si tranché?

Faut-il ignorer – feindre d'ignorer – l'influence des uns sur les autres, leurs points de contact et de chevauchement, le côté Révolution française du romantisme de Tübingen et la tonalité «sol et sang», sinon de la Révolution, du moins de son hymne («D'un sang impur, etc.»)?

Pire : peut-on tenir pour rien le fait que ce soit de cette Révolution que date – Hegel le démontre dans un passage fameux de la *Philosophie du droit* – le plus mauvais des nationalismes, le plus meurtrier : ce nationalisme « messianique » où un peuple supposé « élu », ou « historique », se prétend « porteur », à une « époque » donnée, « du degré présent du développement de l'Histoire universelle » ? peut-on négliger le fait que ce soit dans nos belles « Lumières » françaises que naît l'image terrible (et qui sera, par exemple, au cœur du nationalisme serbe) d'un prétendu « peuple dominant », désigné par la providence pour accomplir, à un moment donné, et quitte – Hegel toujours – à céder très vite sa place à un autre, un peu du programme de l'Esprit ?

La seconde idée, connexe : il y a la nation fermée et il y a la nation ouverte ; la nation tribale, jalouse d'elle-même – et la nation universaliste, généreuse, transnationale et porteuse, à ce titre, d'un message d'émancipation ou d'espérance ; il y a ce partage – implicite dans le texte hégélien – entre des peuples *faussement* « dominants » qui n'offriraient au monde que l'image de leur puissance et des peuples *vraiment* portés par un message qui les transcende et dont la vocation est de s'adresser aux autres peuples du monde.

Or là encore, le partage est fragile.

Car que fait-on, dans ce schéma, des nationalismes transcendants *et* criminels ? que fait-on de tous les cas où l'aspiration à l'Universel, même caricatural et dévoyé, est, *précisément*, ce qui rend le nationalisme dangereux ? Les nationalistes de Pamiat, en Russie, sont panslaves, donc transnationaux. Les nationalistes libyens ou baasistes sont panarabes donc, eux aussi, à leur façon, habités par le souci transnational. C'est au nom d'une « magyarité » essentielle que l'extrême droite hongroise revendique la Transylvanie. C'est au titre d'une culture « dace », non moins essentielle, que les Roumains voient leur propre berceau dans le même village transylvain. C'est au nom d'un nationalisme ouvert encore, au nom d'une nation-messie, dotée d'une mission et chargée de témoigner pour l'entière humanité, que les nationalistes polonais revendiquent le titre de peuple élu, prétendent le retirer aux Juifs et perdurent, par conséquent, dans le pire antisémitisme. Milosevic, depuis Belgrade, veut émanciper *tous* les Serbes. Tudjman, à Zagreb, parle au nom de *tous* les Croates. J'ai connu des nationalistes bulgares qui, sous prétexte que le « slavon d'église », qui n'est autre que le « vieux bulgare », est, avec le latin, le grec et l'hébreu, l'une des quatre langues canoniques du christianisme, voulaient libérer l'entière Chrétienté. Et il n'est pas jusqu'aux nationalistes tchétchènes qui ne veuillent fédérer sous leur conduite spirituelle « les peuples du Caucase ».

La vérité c'est que le nationalisme « ouvert » est, à tout prendre, presque plus redoutable que le nationalisme « fermé ».

La vérité c'est que l'universalisme dont on nous rebat les oreilles, et qui devrait « sauver » le nationalisme, est, souvent, ce qui le condamne.

Et la vraie question est alors assez simple – celle-là même que posait Franz Rosenzweig, au début de ce siècle, dans sa critique, précisément, de la théorie hégélienne de l'Etat et de la philosophie de l'Histoire qui allait avec : l'Europe, et le monde, ne seraient-ils pas en train de renouer avec des temps d'extrême folie où les peuples s'entre-déchireraient au nom d'une passion nationale auréolée par nos intellectuels de tout le prestige des Lumières, de l'Universalisme ou, simplement, de la Nécessité?

Qu'il soit difficile d'échapper *complètement* au nationalisme, c'est possible. Et je ne suis pas non plus de ceux, faut-il le préciser? qui croient possible – ni même souhaitable – que «les» nations disparaissent, par enchantement, du jour au lendemain.

Mais une chose est ce qui est – une autre ce que l'on en dit. Une chose est, ici comme ailleurs, l'incurable misère du monde – une autre est de l'exalter en en faisant, comme certains, sa richesse. Une chose est que les nations soient là – une autre est de s'en réjouir, de faire d'obligation vertu, de sacraliser ce qui n'est que nécessaire et, quand telle «vieille» et «petite» nation renoue avec son passé et réaffirme ses emblèmes, d'applaudir sans nuances au lieu de tenter, par exemple, de refroidir l'exaltation renaissante.

Aux topomanes de tous les pays, à ceux qui font gloire à l'époque de ce qu'elle a de plus inquiétant, aux penseurs qui en font même, au passage, un peu de philosophie et qui disent : «je suis né là; de là vient ce que j'ai, ce que je suis, de plus essentiel», à ceux qui, ici, en France, recommencent d'entonner le pauvre cocorico gaulois, je ne me lasserai pas d'adresser, au choix, l'avertissement d'Emmanuel Levinas : « l'homme est libre par la loi, serf par la racine » – ou la remarque de Lautréamont : « encore n'est-il pas exactement prouvé que les coqs ouvrent exprès le bec afin de mieux imiter l'homme. »

4

Ce que veut le Peuple

Le populisme.

Dans populisme, il y a peuple.

Idolâtrie, culte du peuple.

Parfois le populiste vient du peuple et croit que c'est une vertu.

Parfois il n'en vient pas – et n'a pas assez de sa vie (je ne dis même pas sa vie politique) pour expier ce péché d'origine.

Mais que le peuple soit, comme tel, le signifiant-maître de son discours, qu'il soit cette catégorie quasi sacrée d'où tout part et où tout revient, voilà ce qu'il croit toujours.

Le populiste, qui croit en la sainteté du peuple, a-t-il jamais entendu parler des massacres de Septembre, en France ? et du peuple nazi, en Allemagne ? et du despotisme populaire, dont se sont autorisés tous les fascismes ?

Bien sûr, il a entendu.

Mais le peuple, alors, n'était plus le peuple.

De mauvais maîtres l'avaient captivé.

Des élites scélérates l'avaient envoûté.

Et lui, le populiste, n'aime ni les mauvais maîtres ni les élites – ces faussaires de la parole du peuple.

Le populiste pose (premier théorème) : le peuple sait ce qu'il veut; puis (second théorème) : il a, quand il veut, toujours raison; mais encore faut-il (postulat) que ce soit lui, vraiment, qui veuille; et encore faut-il (corollaire) que rien n'entrave ce juste vouloir.

Concrètement ? Concrètement le populiste dit à la fois : confiance illimitée dans les ressources, le génie du peuple. Et : méfiance définitive à l'endroit de tout ce qui pourra traduire, dénaturer, différer, représenter, l'expression de ce peuple.

Qui, par exemple, *traduit* cette expression ? Les intellectuels. Et c'est pourquoi le populisme est, forcément, un anti-intellectualisme.

Qui la *dénature* ? La mauvaise langue. La langue de bois. Et c'est pourquoi le populisme en appelle, tout aussi forcément, à la langue vive contre la langue vide, la langue pleine contre la langue morte : langue crue, presque truculente, d'un Jean-Marie Le Pen – qui n'aura pas été, de ce point de vue, le plus mauvais des populistes.

Qu'est-ce qui fait *différer* le peuple d'avec lui-même ou, ce qui revient au même, le médiatise ? Pas la télévision, bizarrement. Car la télévision est un médium chaud qui opère dans l'immédiateté et appelle la fusion. Mais les institutions, le droit, les lois qui, chaque fois, créent un écart, un ajournement de la volonté. Le populiste est ennemi des lois. Et Barrès – le Barrès politique, celui des campagnes de Nancy, apologiste de la « sainte canaille » et du «peuple roi» – n'est pas le moins attesté de ses ancêtres.

Qu'est-ce qui le *représente* enfin? Qu'est-ce qui le dépossède de lui et, à la lettre, détourne son image? Les lois, donc. Les codes. Mais aussi, et d'abord, les politiques. Tous les politiques. Et c'est pourquoi il ne peut que livrer une guerre totale aux politiques.

Elle est plus douce, cette guerre, que celle des extrémistes des années trente. Mais elle est plus farouche. Plus définitive. Rien – et il le sait – ne le réconciliera plus avec les politiques.

D'autant qu'il leur reproche, par surcroît, d'être corrompus et que l'imaginaire de la corruption, s'ajoutant à sa réalité, lui fait prendre, dans les esprits, une importance exorbitante.

La corruption existe bien sûr – le populiste ne l'invente pas. Et je suis de ceux, faut-il le préciser? qui jugent essentiel de la combattre et, lorsqu'elle est avérée, de la sanctionner.

Mais il y a la réalité de la corruption et il y a son fantasme. Et on est dans le fantasme de la corruption quand on la déclare envahissante. Et on est dans la fiction de la corruption quand on dit de la France qu'elle est devenue, avec le temps (et avec l'Italie), la république bananière de l'Europe. Et on est dans le mythe d'une corruption qui sert ses dénonciateurs plus qu'elle n'accable ses acteurs, quand on accrédite l'idée d'une société *entièrement* pervertie : de haut en bas, de bas en haut, société civile et société politique, les journalistes comme les chefs de parti, les grands patrons comme les fonctionnaires, ce Tout-Etat complice qui se retrouve dans les dîners en ville ou sur les gradins de Roland-Garros – et qui ne voit se dresser, face à lui, qu'une poignée de juges vertueux.

L'origine de cette corruption ?

La représentation, toujours.

Car qui dit représentation, dit théâtre.

Qui dit théâtre dit coulisses.

Qui dit coulisses dit machinations, manigances, trafics soustraits aux regards.

Peut-être le populiste est-il le seul, après tout, à entendre cette représentation au sens propre, c'est-à-dire théâtral, du terme.

Et c'est pourquoi il voit dans la représentation, c'est-à-dire dans la politique, un « déchaînement de vice inouï ».

Un monde sans politiques, alors ?

Le populisme est un réalisme.

Aussi ne va-t-il pas, comme cela, sans autre forme de procès, donner congé à *tous* les politiques.

Il y a les bons et les mauvais politiques, admet-il.

Les politiques « propres » et les politiques « sales ».

Ceux qui participent de l'« établissement » (mot honni !) et ceux qui n'en sont pas (et avec lesquels on fera un nouveau « front populiste »).

Un « bon » politique ? Le politique digne d'entrer dans le « front populiste » ?

C'est très simple.

C'est un politique qui s'exprime – soit. Mais à condition de ne plus dresser de scène à cet effet – à condition de conjurer, une bonne fois, cette maladie de la représentation qui fait différer le corps d'avec sa tête et engendre, au passage, la concussion. Plus d'écart, dit-il. Donc plus de distance, ni de séparation. Surtout plus de lieu spécialisé dans l'exercice de la parole politique. On préférera, quand on va à la télé, les émissions de variétés.

Qu'il soit membre d'un parti, pourquoi pas? Mais à condition de concevoir les partis comme des stades, de les gérer comme des clubs de football et de considérer leurs adhérents, non comme des militants, mais comme des supporters. Tapie et l'OM. Tapie et la France. Tapie sera-t-il un jour maire de Marseille? Berlusconi est bien président du Conseil, en Italie.

Qu'il fasse parler l'Opinion, qu'il l'incarne – à la limite, encore, qui s'en plaindra? Mais faire parler n'est pas penser. Incarner n'est pas inventer. Le bon politique est celui qui se met à l'écoute de l'opinion et ne fait rien, ne bouge plus, n'engage pas une réforme, ni ne prend une décision, sans être sûr de pouvoir dire : « vois comme je t'ai compris ! »

Le bon politique est en prise directe avec le peuple.

Le bon politique, c'est-à-dire le politique populiste, est celui qui cherchera tous les moyens de se mettre en accord avec les rancœurs, les amertumes – il dit « les aspirations » – du peuple.

Ces moyens?

Il en a un, surtout.

Cet instrument fabuleux, ce stéthoscope sans pareil qui lui permet d'observer son peuple, de le scruter, de ne rien perdre de ses mouvements et de se sentir en phase, à chaque pas, avec le moindre de ses émois c'est, bien entendu, le sondage.

Ah les sondages !

Il y a, pour le populiste, le temps d'avant les sondages, et le temps d'après.

Il dit : avant et après les sondages, comme on dit avant et après Jésus-Christ.

Avant, le Peuple n'existait pas. Il n'avait nul lieu où se figurer, nulle langue où se chiffrer. Et les Princes, conformément, d'ailleurs, à la recommandation des Sages, ou de Hegel, pouvaient le « mépriser » aussi bien que l'« apprécier ».

Depuis, l'Opinion, non seulement se dit, mais se mesure.

Il n'est pas de jour, parfois d'heure, où un nouveau sondage ne nous renseigne sur l'évolution de son état.

Et on voit mal comment les Princes pourraient, non seulement ne pas l'apprécier, mais ne pas en faire le plus fécond de leurs outils de gouvernement.

D'aucuns, quand les sondages apparurent, dirent : « un instrument de plus entre les mains des puissants » (c'est l'époque où on soupçonnait les sondeurs de manipuler, à leur insu, les sondés).

Mais les plus lucides répondirent – et les populistes en étaient : « c'est l'Opinion, au contraire, qui triomphe ; c'est elle qui, désormais, fait loi ; quel gouvernant pourra-t-il l'ignorer ? comment ne pas prendre en compte une volonté populaire si savamment formulée ? » (C'est le moment où les sondages entraient, ou prétendaient entrer, dans la voie sûre d'une quasi-science.)

Quand, d'ailleurs, naissent les sondages ?

Le moment de cette coupure quasi messianique ?

Rousseau aurait pu être l'homme de cette invention : il disait que les Anglais ne sont libres qu'en ce précieux, mais rarissime, instant où ils élisent leurs représentants.

Mais, la technologie faisant défaut, il faudra attendre un peu plus de deux siècles, soit l'an de grâce 1958, année du premier référendum gaulliste et jour, quasi sacré, de la naissance d'une République.

En sorte que le premier sondage politique est contemporain de ce moment où l'on vit se ressaisir une volonté générale égarée.

Seulement voilà.

On entre, avec le populisme, dans *le temps* des sondages.

Ils vont se multiplier, se diversifier, proliférer à l'infini.

C'est, comme pour la mémoire, une boulimie, une quasi-hystérie.

Et c'est alors que l'affaire se complique : au lieu, comme on le pensait, de « photographier » l'électorat afin, pourquoi pas, d'éclairer les gouvernants, ils enregistrent ses sautes d'humeur, ses lubies, l'aléa de ses foucades, de ses extravagances, de ses caprices – transformant le gouvernant en une sorte d'ilote, drogué à l'Opinion, talonné par les sondages et s'épuisant à les devancer.

Il ne gouverne plus – il écoute.

Il ne décide plus – il est à l'affût.

Il n'est plus qu'une grande oreille aux aguets du plus infime frémissement de cet être lunatique, fantasque, qu'est l'Opinion.

Et voici que les rôles s'inversent : l'Opinion arrogante – le Prince humilié ; l'Opinion aux gradins – le Prince dans le stade, en train d'essayer de dompter le monstre ; le Peuple roi, enfin – puisque c'est lui qui presse, harcèle, affole le Prince ; et le Prince nouvellement abaissé – à se demander si l'on n'en sera pas bientôt au point de devoir, comme disait Nietzsche, défendre les forts contre les faibles !

Un nietzschéen, Michel Foucault, dépeignit jadis le pouvoir sur le modèle du panoptique benthamien : ce centre, invisible, à partir duquel un maître, absent, contrôle le corps social ; nul ne le voit, mais il voit tout le monde ; il est invisible mais c'est cette invisibilité même qui rend la société visible et, donc, contrôlable.

Le populisme fait basculer le dispositif : peuple invisible, pouvoir visible ; un peuple qui se dérobe, un pouvoir sommé de se montrer ; nul ne voit plus le peuple, mais on voit tout le temps les maîtres – dans les journaux, à la télévision, dans leurs œuvres et dans leur vie, dans leur chambre à coucher, en vacances, en voiture, à vélo ; en sorte que si le pouvoir est dans le regard, si le plus grand pouvoir est celui qui voit le plus grand nombre, alors il faut conclure que le populisme est l'une des formules les plus élaborées du pouvoir dans les temps modernes.

Le système, à la vérité, fait si bien l'affaire des populistes qu'on les soupçonnerait de l'avoir inventé.

Sans aller jusque-là, on dira qu'il est leur chance et que les populistes sont des gens qui préféreront toujours un mauvais sondage à une bonne élection.

L'ennui, avec une bonne élection, c'est qu'on se prononce pour cinq ou sept ans – et que les gouvernants ont tout loisir, entre-temps, de revenir à leur chère politique.

L'avantage avec un sondage, même mauvais, c'est qu'on peut changer d'avis tous les jours, parfois trois fois par jour et que c'est le métier du gouvernant d'essayer de prévenir les désirs des gouvernés.

Ah ! si l'on pouvait, une bonne fois, remplacer les élections par des sondages...

Si l'on pouvait transformer la république en plébiscite, la démocratie en démagogie, l'audience en Audimat, si l'on pouvait en finir avec le peuple et consommer le sacre de la plèbe !

La plèbe ? Le vrai peuple !

L'Audimat ? la démagogie ? le plébiscite ? Autant de modes d'une unique substance : la société comme un corps plein, sans différance – ébloui, comme en miroir, par le spectacle de sa présence à soi.

Car il y a une psychologie du populisme : c'est le narcissisme (encore que l'on puisse s'interroger : et si cette haine des élites, cette cruauté à leur endroit, cette façon de les martyriser alors qu'elles sont, tout de même, un peu de lui, recouvrait une sourde haine de soi).

Une physiologie : quelque chose de bouffi, de repu, d'autosatisfait que l'on situera, pour aller vite, entre Tapie, Le Pen et Doriot (encore qu'il existe des variantes: Monsieur de Villiers, populiste pour les salons, aurait plutôt le profil d'un Savonarole appelant à la croisade contre les fantaisies du siècle).

Une métaphysique, enfin : l'idée d'une volonté générale causa sui, antérieure à toute parole et, bien entendu, tout contrat – une volonté naturelle, souverainement et naturellement bonne, avec laquelle on renouera pour peu que l'on sache écarter ces filtres, ces écrans, ces médiations, qui l'obscurcissent.

Le populiste sera aussi – et fatalement – nationaliste : le nationalisme n'est-il pas, en bonne doctrine, la plus immédiate, et la plus naturelle, des communautés ?

Le populiste sera – plus qu'aucun autre – un fanatique de cette mémoire débridée qui faisait du lien avec des morts et de la religion avec du souvenir : quel meilleur outil, en effet, pour souder une volonté générale ? quel meilleur substitut aux contrats, trop abstraits, dont s'encombrent les démocrates ? et quelle meilleure communion pour la plèbe telle qu'il la rêve ?

Le populiste sera enfin – et pour les mêmes raisons – plus acharné que quiconque à fabriquer de l'altérité, générer de faux ennemis, etc. : car le moyen, sans cela, d'halluciner cette présence à soi ? le moyen, s'il ne se dote d'une extériorité massive, et obsessionnellement dénoncée, et inlassablement traquée, de rassembler son propre corps dans l'unité retrouvée ?

Le populisme, en d'autres termes, est mieux qu'un dispositif parmi d'autres permettant à des sociétés faillies de parer à leur déconfiture.

Il n'est pas une quatrième parade, ou un stratagème additionnel, qui achèverait d'obturer la faille, de stopper l'hémorragie et de rendre aux démocraties la solidité qui leur fait défaut.

Qu'est-ce que le populisme ?

Il est *la* parade par excellence.

Le dispositif le plus essentiel.

Il est celui qui, à soi seul, inclut, récapitule les trois autres et leur assigne leur cohérence.

Les démocraties sont malades ? Un seul remède : le populisme.

Le populisme ? La maladie sénile de nos démocraties à l'heure de la nouvelle crise de la conscience européenne.

On dira « le populisme » et ce sera le nom, unique, de la réaction des démocraties face à la panique qui les gagne et la débandade qui menace.

Sauve-qui-peut : c'est le premier, et le dernier, mot du populisme.

5

Populisme et intégrisme

Mais voici le plus remarquable.

Reprenons, pour la dernière fois, ces trois ou quatre figures que je n'ose qualifier de figures de la pensée mais qui sont, bel et bien, celles de nos démocraties sur le déclin.

Revenons sur le populisme au sens strict – celui dont j'espère avoir, au moins, commencé d'éclaircir le concept ; mais aussi sur le populisme au sens large – qui est comme le géométral, ou la surface de contact, où s'entrecroisent nationalisme, xénogénie et obsession de la mémoire.

Malaise dans la civilisation démocratique ?

Oui. Mais pas seulement. Car il est un dernier trait qui vaut d'être souligné – où l'on verra que je ne me suis qu'en apparence écarté de la pureté et de ses dangers.

Le nationalisme. Il revient, je l'ai dit. En France. En Allemagne. Partout, ou presque partout, dans les vieux pays à l'ouest du Danube. Mais comment ne pas noter qu'il triomphe, au même moment, à l'Est? Et au Sud? Comment n'être pas troublé par le fait que c'est lui, le nationalisme, qui gouverne aussi, en Europe centrale, le débat sur l'après-communisme – et lui encore qui, ailleurs, donne leurs signes et emblèmes aux croisades qui se réclament des impératifs de la Charia?

Que ce ne soit pas, dans tous les cas, *la même* idée de la nation, je le veux bien. Et loin de moi l'idée d'amalgamer un populisme encore largement inoffensif à un intégrisme délétère dont les crimes ne se comptent plus. Mais que ces nationalismes soient sans lien les uns avec les autres, que leur convergence soit de coïncidence, et que ce que l'on appelle nation là-bas et ici, chez Milosevic et chez Le Pen, chez un slavophile russe et chez un néoconservateur allemand, n'ait de commun que le nom, voilà qui me semble plus douteux – et que je trouverais un peu trop commode d'admettre sans examen.

Prenons ne fût-ce que le cas allemand. D'aucuns, quand tomba le Mur, s'alarmèrent de la puissance retrouvée de l'Allemagne. D'autres redoutèrent, à l'inverse, que le coût de la réunification ne grevât l'économie du pays et, de proche en proche, du continent. Ce qui m'inquiéta, moi, et dès la première heure, ce fut plutôt ceci.

L'Allemagne vivait, depuis la guerre, à l'heure d'un nationalisme assez particulier – encore qu'il ne fût pas, dans sa propre histoire, sans précédent. Il commandait, ce nationalisme, de servir sa patrie. Eventuellement de l'aimer. Mais il avait ceci de singulier que, par la force des choses (c'est-à-dire de la défaite et de la division qui avait suivi), ce pays n'était pas, et ne serait peut-être plus, celui de *la* nation allemande – le tiers de ladite nation ne se trouvait-il pas, de l'autre côté du Mur, hors du pays?

Or l'unité se faisait; la nation se reconstituait; l'Allemagne redevenait le pays de tous les Allemands; et ce patriotisme contractuel ou, au moins, constitutionnel rentrait, si j'ose dire, dans le rang, qui était celui des nationalismes orthodoxes, fondés sur la commune appartenance à un sol, une langue, une histoire – nouveau signe, au passage, de la fragilité d'une distinction que l'on présente, trop souvent, comme essentielle et infranchissable; nouvel indice, s'il en était besoin, de ce mouvement, insensible mais constant, qui fait glisser de l'un à l'autre; mais preuve, surtout, que c'est l'ensemble de l'Europe qui, à l'Ouest autant qu'à l'Est, se mettait à l'heure d'un nationalisme parfaitement traditionnel.

L'esprit de la « Gemeinschaft » l'emportait sur celui de la « Gesellschaft ». Le parfum de la « communauté », sur celui de la « société ». Le mythe du « peuple rassemblé », sur l'image d'une collectivité contrainte, encore une fois, par les aléas de l'Histoire récente à une forme de contingence (« les sociétés sont des corps artificiels fondés sur ce pur artefact qu'est une constitution ou un contrat ») qui est le propre de l'esprit démocratique. Et c'était peut-être, du coup, le vrai premier acte du drame en train de se nouer – c'était la première étape de cette « vengeance des nations » que diagnostiqua, très tôt, Alain Minc et qui allait déferler sur l'ensemble du Continent.

On ne sait jamais, n'est-ce pas, de quel côté va

nous saisir l'Histoire. On ne voit pas bien, sur le moment, les événements qui vont compter. Eh bien on peut se demander, avec le recul, si, du point de vue de la pensée – ou de l'impensé – de l'époque, le fait inaugural, la brèche décisive, celle où devaient s'engouffrer les mauvais génies du temps ou, en tout cas, donner le signal de leur libération, ne se fraya pas ici, à Berlin – à l'instant très précis où un grand pays occidental, le phare, avec la France, de la construction européenne, passa d'un nationalisme de textes et de lois à un nationalisme du sol et, d'une certaine façon, du sang.

Je ne dis pas qu'il faille « regretter » la réunification. Je ne mets en cause ni les intentions des dirigeants allemands, ni l'extrême dignité de la réaction des citoyens des deux Allemagnes lors de ces semaines historiques. Mais je dis simplement qu'il y avait là une onde de choc dont on pouvait prévoir qu'elle ne s'arrêterait pas à cette partie du monde, ni même de l'Europe; et que, de ce point de vue, et fût-ce à l'insu des acteurs, c'est probablement cet événement qui, bien davantage que, par exemple, le discours, au Chant des Merles, de l'obscur Milosevic, donna le coup d'envoi d'une période historique où l'idée de « nationalisme ethnique » allait retrouver droit de cité.

Nationalisme, disent-ils.

Il y a de l'ethnisme, dans ce nationalisme.

Il y a, qu'on le veuille ou non, des liens inavoués entre le néonationalisme des démocrates de l'Ouest et celui des intégristes de l'Est.

Et on ne peut traiter de ce retour des nations dans la partie prospère de l'Europe, comme s'il était étranger aux formes qu'il prend, au même moment, aux pays de la volonté de pureté.

La mémoire. Cette mémoire paradoxale dont l'objet est moins, on l'a vu, de nous rappeler les souvenirs de l'Histoire que de rappeler la société à son propre souvenir. Cette mémoire qui fait musée de tout et qui doit pour cela (et je ne l'ai pas assez dit) corriger, rectifier, quand ce n'est pas carrément réviser, les traces qu'elle exhume ou celles, au contraire, qu'elle archive – la Révolution française sans la Terreur; les années Pompidou sans la censure; le gaullisme sans la guerre d'Algérie; la guerre d'Algérie sans la torture; et même, tant que l'on y est, le nazisme sans les chambres à gaz; à quoi bon les mauvais souvenirs, à quoi bon leur exactitude ou leur rigueur, quand l'urgence, et même le propos, sont moins de faire de l'Histoire que de refaire de la religion et de se réintégrer dans un passé enchanté, propre à fonder une société réconciliée avec elle-même?

Là non plus, pas de confusion. Ne pas dramatiser une dévotion historienne dont les manifestations sont, souvent, plus cocasses qu'inquiétantes. Mais comment ne pas avoir au moins à l'esprit ce qui, dans le même temps, se trame ou s'accomplit ailleurs? Et peut-on, lorsque l'on s'inquiète du tour nouveau que prend, du côté des grandes nations, le souci et l'écriture du passé, ne pas s'arrêter à la façon dont se réécrit, et pas seulement depuis 1989! le roman des petites nations humiliées de l'Europe centrale et orientale?

Les Bulgares et la mythologisation du « joug ottoman ». Les Roumains et cette gigantesque construction mythomaniaque selon laquelle la « race dace » – ancêtre des Roumains – serait à l'origine de toutes les grandes inventions : le Baroque au XVe siècle, l'Amérique avant Colomb, les nombres à la place des Arabes, l'imprimerie sans Gutenberg, la cybernétique au XVIe siècle. Le délire vendettiste des Russes de Pamiat. La reconstruction fantasmatique, en Serbie, de l'affaire du Kosovo. La réécriture de l'Histoire en Croatie. Le mensonge révisionniste en Pologne. La célébration, partout, et avec une frénésie qui n'est pas sans rappeler la nôtre, de ces grands mythes fondateurs auxquels on prête le pouvoir d'avoir maintenu la nation dans l'épreuve. Sans parler, encore, des intégristes musulmans et du tour que prend, chez eux aussi, la forme historiale de la passion de soi : une histoire fantaisiste, contrite ou faussement glorieuse, que l'on sent moins destinée à faire des sujets libres qu'à faire une communauté bien formée.

Effet des uns sur les autres, alors ? Influence ? Peut-être pas. Et, au demeurant, peu importe. Car ce qui compte c'est, là aussi, ce sentiment d'une affinité à distance, d'une correspondance tacite – comme si, d'une extrémité du monde à l'autre, se jouait, sur des instruments distincts, une musique de même tonalité.

A l'université de Stanford, aux Etats-Unis, la religion communautaire prend de telles proportions que des professeurs « afrocentristes » soutiennent, le plus sérieusement du monde, que la philosophie grecque est née en Afrique. Il y a des érudits qui, à Wellesley College, et au nom de ce même « afrocentrisme » érigé en vision du monde, expliquent à leurs étudiants que Platon était égyptien ou qu'Aristote était présent lors de l'incendie de la bibliothèque d'Alexandrie et qu'il participa à sa mise à sac, en sorte que c'est toute sa philosophie qui fut volée aux Egyptiens. Ceux qui seraient tentés de voir dans le protochronisme roumain ou, d'une façon générale, dans le révisionnisme généralisé qui sévit dans les pays de l'Est une bizarrerie plutôt comique, et réservée à des tribus arriérées, doivent savoir que, aux Etats-Unis toujours, la minorité « black » dispose, en la personne de Molefi Kete Asante, distingué professeur à l'université de Philadelphie, d'un avocat qui, dans ses cours et dans ses livres, démontre que c'est, non seulement Aristote, mais Isocrate, Xénophon, Homère, Thalès, Pythagore, j'en passe, qui ont fait leurs études chez les Pharaons et y ont puisé leur pensée; ils doivent savoir que le même Asante ne se lasse pas d'expliquer que ce sont encore les Egyptiens, c'est-à-dire toujours des Africains, qui, de l'astronomie à la géométrie, de la médecine à l'architecture, de l'alphabet romain aux instruments de mesure du temps, sont à l'origine de toutes les grandes inventions dont s'est enorgueillie l'Europe. Et que penser enfin de ces chaires, non plus d'« afrocentrisme », mais de « Native American matters », c'est-à-dire de culture indienne, où, avec toute l'autorité de l'Académie et de la Science, on construit la fable selon laquelle les rédacteurs de la première Constitution américaine seraient allés chercher leur modèle... chez les Indiens Algonquins ?

Richard Bernstein – à ce jour, le meilleur analyste

de ce multiculturalisme américain – parle, et le mot est éloquent! d'une mémoire « balkanisée » dont chaque communauté, c'est-à-dire chaque minorité, s'approprierait un lambeau. D'où cette question, qu'il faut bien se résoudre à poser : ce révisionnisme frénétique, ce goût, à l'Ouest comme à l'Est, pour une histoire revue et corrigée, cette façon de la neutraliser ou de la réécrire pour mieux l'adapter à son usage, cette dénaturation concertée, ce délire généralisé, cette manière de l'ajuster à une Promesse ou de lui faire épouser une Nostalgie, cette idée selon laquelle la vraie mémoire est mythique ou n'est pas, commémoratrice ou n'est rien, cette obsession du fondement, cette conviction qu'elle n'a pas de meilleur usage que celui qui lui permet, coûte que coûte (et même s'il en coûte une altération, peut-être irréparable, du sentiment du temps ou de la figure de la citoyenneté) de fonder une communauté – n'est-ce pas un socle commun où viennent prendre appui, même si c'est pour y trouver des postures pour le moment différentes, ceux dont le propos est d'abattre les démocraties ou de les empêcher de naître et ceux qui prétendent encore, mais pour combien de temps, y être attachés? Et comment le caractériser alors, ce socle, comment le nommer, autrement qu'en disant : d'un côté et de l'autre, chez les populistes « soft » comme chez les intégristes « hard », chez les tenants du multiculturalisme américain comme chez les islamistes les plus fanatiques, une *mémoire fondamentaliste*.

Le *populisme*. Je veux dire : le populisme au sens

strict. Ce mélange de mépris des politiques, de haine de la pensée, de refus de la représentation et de prétention à « parler vrai » que l'on voit précipiter dans nos laboratoires idéologiques (« laboratoire » : le mot qui, soit dit en passant, vint à Fidel Castro, expert en la matière, lorsqu'on lui demanda, peu après la victoire électorale de Berlusconi, de qualifier l'Italie que celui-ci allait gouverner). N'est-ce pas, là aussi, les ingrédients de la plupart des discours qui, sous des formes certes différentes, triomphent à l'Est et au Sud ? n'est-ce pas le cocktail politique qui, diversement dosé, se répand d'un bout à l'autre de l'Europe, et sur le pourtour de la Méditerranée ? et cette société pleine, présente à soi, naturelle, etc., ce corps social mirobolant, et bien formé, qui n'attend, pour renaître, que de voir dissipés les miasmes du droit, de la politique, des idées ou de la représentation, n'est-ce pas une autre version de cette « bonne communauté » qui était le fantasme central des intégristes?

Ajoutez le retour du complexe sécuritaire dans la plupart des démocraties ; l'appel à l'homme fort, ou plus exactement propre, dont les mains soient assez pures – fussent-elles souillées du sang de la guerre d'Algérie ou trempées dans celui de la loge P2 – pour nettoyer les écuries d'Augias démocratiques.

Ajoutez ce climat de censure, d'ordre moral et presque de « brûlement des vanités », qui, aux Etats-Unis, fit mettre au pilori – mais ce n'est qu'un exemple entre mille – les photographies de Mapplethorpe, accusé de porter atteinte à l'image de l'Enfance.

Ajoutez l'importance, disproportionnée, prise, en

Europe, par le thème de la « lutte contre la corruption ». Ce triomphe des « petits juges », dernière incarnation de la vertu en politique et, parfois, de la politique tout court. Cette aspiration à une société purgée d'un « mauvais argent » devenu, dans l'imaginaire collectif, l'équivalent d'une infection ou d'une gangrène – n'avons-nous pas vu, en France, un Premier ministre ouvrir son discours d'investiture par un appel solennel à « vider l'abcès de la corruption » ?

Ajoutez ce côté ange exterminateur, qu'affectent volontiers les croisés de la campagne « mains propres ».

Ecoutez ce tapage. Ce tumulte. La justice rendue, non plus dans les prétoires, mais sur les marches du palais : les juges qui sortent, oui, de l'enceinte de la justice – comme s'il fallait prendre l'Opinion à témoin de ce combat mené contre le Tout-Etat; est-ce que ce n'est pas, encore, le même rêve d'une société devenue communauté et, si possible, bonne communauté ?

Ajoutez-y enfin le déferlement aux Etats-Unis encore – seulement aux Etats-Unis ? – de la « political correctness ». Ne vous dit-elle rien cette volonté de défendre, à tout prix, les minorités en tant que minorités ? cette réduction de l'espace public à une mosaïque de groupes homogènes dont chacun aurait des titres à être glorifié et où la notion même de Sujet a, soudain, si peu de place que la défense de ses droits devient un thème réactionnaire qui ne peut qu'occulter le tort, plus essentiel, dont le groupe fut la victime ?

Et cette révolution qui commence par la langue,

cette injonction à ne plus dire «gros» mais «differently sized», «petit» mais «vertically challenged», «myope» mais «optically challenged», «history» mais «herstory», «chairman» mais «chairwoman», «Noirs» mais «mélaninement avantagés», «séminaire» mais «ovulaire», cette lutte des féministes contre tout ce qui, dans les mots, atteste du «pouvoir mâle», cette protestation des communautés noires dès que l'on emploie, par exemple, le mot de «marché noir», est-ce que cela n'éveille pas, à nouveau, d'étranges réminiscences?

Quand les idéologues afrocentristes soutiennent que ce sont les structures mêmes de la pensée occidentale qui «reproduisent la pensée raciste», quand ils affirment que les concepts dont on se sert, notamment en philosophie, ne peuvent que reconduire «the white-suprematist curriculum», quand ils en appellent, par conséquent, à l'invention d'une nouvelle langue rompant avec la «linéarité» qui assure, depuis des millénaires, la suprématie des hommes, des Blancs et des bourgeois, on est dans la «political correctness», c'est-à-dire dans le populisme – mais on est aussi revenu, comment ne pas l'entendre? tout près d'un des intégrismes les plus féroces de l'histoire du xxe siècle puisque c'était celui de Pol Pot.

Version tiède, version cruelle.

Variante douce, variante dure.

Mais même musique, là aussi. Même problématique de fond et mêmes enchaînements.

Difficile de ne pas admettre qu'il y a, dans tout cela, un ton qui est celui de l'époque et qui, en mineur ou en majeur, en demi-teinte ou à pleine voix, dans l'inquiétante cocasserie d'une gauche américaine devenue folle ou dans la pure horreur de la barbarie khmer rouge, décline les mêmes harmoniques.

Et quant au mécanisme, enfin, de construction de l'altérité, quant à ce processus pervers dont j'ai décrit la structure et qui consiste à bâtir ce leurre, cet ersatz d'ennemi, je sais qu'il pourrait être cité pour récuser le parallèle – et que l'on pourrait dire: «c'est le contraire, cette fois; les uns (démocrates) produisent de l'altérité, donc génèrent de l'impureté – alors que les autres (intégristes) effacent tout ce qui, dans le corps social, pourrait ressembler à une impureté et éradiquent, par conséquent, les ferments de l'altérité.» Mais on reconnaît, là aussi, la ruse. Et on voit bien comment les deux dispositifs finissent, en fait, par se rejoindre. L'intégriste n'anéantit son ennemi qu'après qu'il se l'est donné (ce mécanisme décrit, notamment, par Soljenitsyne dans *L'Archipel du Goulag* – selon lequel le premier geste du totalitaire est de produire, de toutes pièces, l'ennemi qu'il va détruire); le démocrate ne construit, lui, le sien qu'afin de le combattre et, officiellement du moins, le détruire (ce rêve d'embrocher le dragon qui demeure au cœur de saint Georges même s'il sait, aussi bien que le peintre ou le spectateur, que c'est de la pérennité du face-à-face que dépend sa propre survie).

Je ne suis pas en train de dire, faut-il le répéter une dernière fois? que le populisme *soit* un intégrisme (l'idée, présentée de la sorte, serait à peine moins périlleuse que celle qui faisait identifier jadis, au mépris de leurs différences de qualité, libéralisme et fascisme, démocratie et totalitarisme).

Je ne pense pas que que l'Occident se soit mis à vivre à l'unisson des pays de l'Est ou du Sud (encore que je trouverais assez farce l'hypothèse d'un Est qui aurait fini par nous envahir à l'heure même où nous pensions n'avoir plus rien à redouter de lui – de même, d'ailleurs, que celle d'un Sud qui choisirait, lui, pour nous investir, le moment où nous ne pensons qu'à dresser, entre lui et nous, les murailles d'une nouvelle forteresse).

Mais ce que je crois, c'est qu'il y a des époques de la pensée comme il y a des saisons de la vie; et de même que l'intégrisme m'apparaissait comme une catégorie politique large englobant des réalités aussi différentes que les fascismes, islamismes, communismes, etc., de même le populisme, dans son acception occidentale, ne peut pas ne pas apparaître comme une des figures – tempérée, bien sûr; civilisée – de cet intégrisme général.

Intégrisme *et* populisme.

Intégrisme *ou* populisme.

On voit ce qui les sépare.

Mais on mesure aussi ce qui les rapproche, par où ils se recoupent, se rejoignent et s'articulent.

On dira, au pire : l'intégrisme est comme un virus qui a déjà parasité, quoique sous une forme encore bénigne, le corps des démocraties.

Au mieux : si cet intégrisme est bien le danger du siècle, s'il en est l'horizon et la figure de toutes les menaces, c'est une bien curieuse façon de le combattre que de s'inspirer de ses principes, d'accepter sa conception du temps, de l'espace, de la représentation, de la mémoire, de la communauté – et de ratifier, donc, ses choix les plus suspects.

Le populisme est, en démocratie, une forme de l'intégrisme.

Le populisme est, à la lettre, l'intégrisme des démocrates.

Cinquième partie

QUE FAIRE ?

1

S'obstiner dans la pensée

Que faire, oui ?

La question n'est pas neuve.

Elle se pose, ou devrait se poser, depuis qu'il y a des intégrismes et, face à eux, des démocraties.

Mais c'est un grand mystère que le peu d'empressement avec lequel nous aurons, tout au long du siècle, répondu à son appel.

L'époque a aimé le fascisme. Elle a aimé le communisme. Quand elle ne les a pas aimés, elle s'est employée à les penser. Et ce sont des bibliothèques entières qui témoignent de cette fascination – qu'elle ait pris, ou non, la forme d'une adhésion. Mais quant à penser leur contraire, quant à dépenser ne fût-ce qu'une infime partie de cette énergie à problématiser ce qui s'opposait à eux, quant à essayer de comprendre ce que sont ces autres régimes dont les barbaries ont fait leur proie et, en le comprenant, les renforcer, quant à engager un authentique travail de réflexion sur l'idéal démocratique, il en fut étrangement peu question.

La démocratie aura été un fait, pas une valeur. Un état de choses, pas un objet de pensée. On en jouissait tant qu'elle était là; on la regrettait quand elle n'y était plus. On redoutait, mais sans y croire, le moment où, comme toutes choses, elle devrait périr; mais rares furent ceux qui poussèrent l'inquiétude jusqu'à s'interroger sur les mécanismes qui la conservent, les principes qui l'animent et pourraient venir à manquer : rares furent les modernes à s'interroger sur un type de désir – le désir démocratique – qui ne devrait pas être, après tout, moins passionnant à analyser que le fameux «désir fasciste».

Qui sont, concrètement, les intellectuels démocrates en ce siècle? Qui parmi eux, parmi nous, a pris la peine, non seulement d'accepter la démocratie, mais de l'aimer et, pour l'aimer, de la penser? Qui a échappé, autrement dit, et a échappé dans la pensée, à cet étrange «sentiment d'infériorité» dont parle Malraux dans les *Antimémoires* – cette infériorité, dit-il «du Girondin devant le Montagnard, du libéral devant l'extrémiste, du menchevik devant quiconque se proclame bolchevik»?

Il y a eu des écrivains (Malraux, justement) – mais ce ne furent que des écrivains.

Des essayistes (Aron, Revel) – mais qui ne furent pas toujours les plus écoutés.

Il y a le cas d'un Lefort – mais est-ce assez de sa récente faveur pour faire oublier les années passées à prêcher dans le désert?

Bref une minorité. Encore, toujours, une minorité. Comme si la démocratie était, pour la pensée, l'objet le plus obscur ou, même, le plus interdit. Comme s'il y avait une malédiction portée sur quiconque – je pense, évidemment, à Camus – tente de briser l'interdit. A croire, oui, que nous ayons voulu traverser le siècle, avec, pour tout viatique, ce pacte des temps de peste : « y penser le moins possible, et n'en parler jamais. »

Nous arrivons, aujourd'hui, au terme.

Et force est de constater que nous ne sommes, à ce bout du chemin, pas mieux pourvus qu'à l'autre – fourbus; harassés; mais pas plus avancés, par exemple, qu'un Montesquieu ou un Machiavel quant à l'énigme de ces peuples qui peuvent, et c'est toute la question, « cesser démocratiquement d'aimer la démocratie ».

J'ajoute que la chute du communisme, loin de remédier à cet état, l'a paradoxalement aggravé.

Car, je l'ai dit : en même temps que lui, dans cette clarté féroce que sa chute jetait sur toutes choses, c'est la pensée comme telle, la théorie en général, l'idée même d'un système, ou d'un ordre réglé de raisons, qui se voyaient frappées d'une nouvelle suspicion.

Prudence des philosophes. Retraite, sur tous les fronts, de tout ce qui pouvait témoigner d'un souci théoricien. Cette peur de la pensée, de ses cercles, de ses pièges et des égarements auxquels, en effet, elle a conduit nombre d'entre nous. Et ce paradoxe, alors : si l'événement ôtait tout crédit à ce qui fut, longtemps, l'obscur objet de nos désirs, s'il disqualifiait, momentanément au moins, les prestiges du délire communiste, s'il écartait ce qui fut l'obstacle de fait à une réflexion de fond sur l'idée démocratique, il en dressait un autre en disqualifiant le souci de penser – jusques et y compris, donc, pour penser la démocratie.

Jadis c'était le rayonnement du totalitarisme qui interdisait que l'on pensât la démocratie. Aujourd'hui c'est son éclipse qui prolonge l'interdiction.

Jadis la démocratie était faible parce que le totalitarisme était fort. Aujourd'hui elle est encore faible, parce que le totalitarisme l'est devenu.

En sorte que c'est, précisément, au moment où rien ne devrait plus s'opposer à ce qu'elle devînt objet de pensée, que se lève un nouvel empêchement – qui touche à l'exercice même de ce que l'on appelle penser.

Un exemple.

Un seul exemple.

C'est cette fameuse « question Heidegger » que l'époque n'en finit pas de poser, tous les cinq ou dix ans, avec une furieuse régularité.

Une évidence : Heidegger a été membre du parti nazi.

Une autre évidence : Heidegger a écrit quelques-uns des plus grands livres de la philosophie au XXe siècle.

Or voici des étourdis qui, au lieu d'essayer de penser, ensemble, ces deux évidences, au lieu de se demander comment le même nom a pu être porteur de ces deux expériences contradictoires, au lieu de se demander – ce serait une question légitime – si elles sont, justement, contradictoires et si c'est le même homme qui, dans les deux cas, habite le même nom, au lieu de poser cette autre question – légitime, elle aussi, passionnante – qui serait de savoir quelle est, précisément, la part de l'un que l'autre contamine, quels sont leurs points de contact, de contiguïté éventuelle ou, au contraire, d'étanchéité, au lieu de scruter les régions, si elles existent – et il n'est pas dit qu'elles existent – du texte de Heidegger que l'engagement nazi a influencées, inspirées ou, au contraire, stérilisées, voilà des étourdis qui, trop heureux de l'aubaine, et n'attendant peut-être qu'elle, annoncent l'heureuse nouvelle : « non ! non ! plus de Heidegger du tout ! le fait que Heidegger ait trempé dans le nazisme nous dispense de lire Heidegger. »

Je prétends que nous sommes, là, en présence d'un sophisme typique de la haine de la pensée.

Et je crois que c'est ce type de sophisme qui nous laisse, face à l'intégrisme, si terriblement démunis.

Lire Heidegger pour se munir contre les intégrismes ? En effet. Pas impossible. Et ce qui, en tout cas, ne fait pas de doute c'est que s'interdire de le lire, le brûler au feu des bûchers de la pensée correcte, serait une façon assez sûre de leur ouvrir la route.

Donc, que faire ?

Comment, derechef, s'orienter dans l'époque quand le danger est si grand, et si rare la ressource ?

Il y a une première tentation que, bien entendu, je récuse.

C'est celle qui consisterait à « définir » la démocratie, tracer son profil idéal, dire ce qu'elle doit être et comment elle sera gouvernée. On proposerait un «programme». On offrirait des «solutions». Ce serait la demande du Petit Prince à l'aviateur : «dessine-moi une société» et ce serait, aussi, la pente de l'intégriste – car le mirage de la bonne communauté, alors, n'est jamais loin. Je ne suis pas aviateur. Je hais l'intégrisme. Et c'est pourquoi je reste fidèle, en la matière, à la mise en garde du vieux Freud : pas de plus sot métier, pour un intellectuel, que de se faire marchand de rêves, trafiquant d'illusions ou de religions.

Il y aurait une seconde tentation, que je ne récuse pas, mais dont je redoute la vanité.

C'est celle qui ferait revenir sur ses pas – ceux de l'époque, ceux du livre – et, chaque fois que la mauvaise voie a été choisie, tenter de suggérer la bonne. On opposerait, pêle-mêle, le cosmopolitisme au nationalisme, le vrai ennemi au faux, le bon usage de la mémoire au mauvais, le goût de la politique à sa haine, le souci de l'humain au désastre humanitaire. On dirait, comme autant d'évidences qui se suffiraient d'être énoncées : il faut résister à l'intégrisme, il faut récuser le populisme, il ne faut plus faire des immigrés le bouc émissaire de notre faillite, il faut retrouver l'espérance sans renouer avec le marxisme, il faut résister aux Serbes, prévenir le génocide qui menace au Burundi, il faut préparer l'opinion à l'idée que la victoire du FIS en Algérie est la question de politique intérieure française la plus importante des prochaines années, il faut... il faut... rien ne serait plus légitime que cette cascade de «il faut»... et je me rallierais probablement au politique, s'il s'en trouvait un, qui en ferait les articles de son programme...

Mais et après?

Eh bien après, il faudrait penser.

Ce qui est la tâche, non plus des politiques, mais des intellectuels – et qui, si ces temps sont bien ceux que j'ai dits (c'est-à-dire ceux d'une haine nouvelle de la pensée), est à la fois l'essentiel et, sans doute, le plus difficile..

Ces pages, alors, pour commencer.

Ces principes – même pas : ces jalons – pour une pensée qui ne fait, et ne peut, que débuter.

Ces notes – à peine des thèses – délibérément prudentes, presque humbles, qui ne peuvent être, pour le moment, que le négatif, ou le contrepoint, de ces mauvais objets qu'étaient les principes de l'intégrisme ; je les livre à la discussion ; à d'autres de les reprendre et, j'espère, de les développer.

Et puis cette question, que je veux poser – seulement poser – pour terminer : compte tenu de ce climat de stupeur et de barbarie larvée, compte tenu du fait que, lorsque la barbarie, de larvée, devient triomphante, les démocraties semblent devenues incapables d'y riposter autrement que par une sorte de veulerie, ou de munichisme, spontanés, compte tenu du fait, encore, que ce munichisme tend à devenir, dans nos Etats, comme une seconde nature, ou une nouvelle culture ou, même, une pensée-réflexe, compte tenu de cet état des choses et des esprits, quelles intuitions, quelles convictions, quels *autres réflexes*, conviendrait-il de mobiliser si l'on veut se donner une chance, et de rompre avec l'indignité, et de combattre, ici et ailleurs, les ravages de la volonté de pureté ?

2

Renouer avec le Tragique

On croit les démocraties paisibles. Sereines. On croit, parce qu'elles prônent la tolérance ou la coexistence des libres sujets, que ce sont des sociétés positives, souveraines, réconciliées avec le monde, elles-mêmes, le Ciel, les hommes. On se dit : s'il y a bien une société douce, s'il y a une société qui échappe à la fatalité et au tourment du Tragique en Histoire, c'est la société démocratique.

Or c'est le contraire, bien entendu.

Et si l'on consent à se souvenir que « tragique » est l'idée selon laquelle le monde est sombre et voué à cette obscurité, si l'on admet que les visions tragiques du monde sont celles qui parient, en ce monde, sur une part d'inconciliable, si l'on dit, avec Hegel encore, et d'autres, qu'une conception tragique de la condition humaine est celle qui énonce : « l'homme est une espèce ratée et rien, jamais, ne remédiera à ce ratage », alors il faut conclure : « ce sont les intégristes qui ont une vision enchantée des choses et ce sont les anti-intégristes, ou les antifascistes, ou les démocrates, qui en ont – qui doivent en avoir – une vision tragique. »

Ainsi, *le Mal.* L'intégriste disait : « je ne crois pas au Mal » comme d'autres : « je ne crois pas en Dieu. » Le Mal, pour lui, était l'état présent de l'univers. Il était ce qu'il devait, sans relâche, vitupérer. Mais il ne le faisait que dans l'espoir d'en venir, un jour, à bout – son dogme fondateur étant que le péché originel n'existe pas.

C'est exactement l'inverse que je dois dire si je veux être anti-intégriste jusqu'au bout. Non pas, bien entendu, que j'« aime » le Mal. Ni que j'en jouisse. Ni que se taise, en moi, la révolte qu'il ne peut qu'inspirer. Mais je l'accueille, voilà tout. Je sais qu'il est mon lot et qu'il le sera jusqu'à la fin. Et en douterais-je, n'aurais-je pas, sur la question, de doctrine bien arrêtée, que je n'aurais, surtout, pas le choix.

Ou bien je le nie, je parie qu'il est possible de guérir l'humanité du Mal – et alors pourquoi se gêner? pourquoi ne pas commencer? comment ne pas céder à la tentation d'entamer là, tout de suite, l'œuvre de purification? comment ne pas s'engager, dès à présent, à liquider le Mal en ce monde – en liquidant, d'ores et déjà, ses agents propagateurs?

Ou bien je refuse le crime, je m'arc-boute à cette idée que le crime est interdit, je sais que ce crime est tentant, que c'est, pour chaque homme et donc, aussi, pour moi, la ligne de plus forte pente – mais justement : je ne fais rien qui puisse accuser la pente; rien qui rende le forfait plus facile; je décourage, de toutes mes forces, ce retour, en chacun, et en moi, de la Bête; je me garde donc de tomber dans le piège qui consisterait à désigner un microbe et à proposer de l'exterminer; et je n'ai pas d'autre moyen pour cela, pas d'autre roc où m'arrimer, que ce pari sur un Mal qui résistera à toutes les purges et qui, si je passais outre, si je m'obstinais dans la purge, ne ferait que proliférer, à l'infini, comme un cancer. Et alors à quoi bon? Pourquoi la machine à épurer? Le dogme du péché tel que le lèguent les orthodoxies juives et chrétiennes est la seule objection convaincante, aux fous de Dieu, de l'Histoire ou du Peuple : il est la seule réponse logique, intelligible, rationnelle (cette réponse que cherchait Husserl dans sa fameuse conférence de Vienne) à la folie des massacreurs.

Que nul n'entre ici, disait Baudelaire, s'il ne croit au Péché originel. C'est pour cela que j'aime Baudelaire.

Que nul n'entre ici, répondait Hugo, s'il ne croit au Progrès infini de l'espèce. Et c'est pour cela que, dans son débat avec Baudelaire, j'ai pris, une fois pour toutes, parti contre Hugo.

Il y a une politique baudelairienne qui est, plus qu'aucune autre, la politique de l'anti-intégrisme et dont la thèse centrale pourait être : le monde est incurable.

L'Origine. Elle était capitale, on s'en souvient, cette affaire d'Origine. Elle pouvait avoir la forme d'une «Nature». Elle pouvait, quand on ne croyait pas à la Nature, avoir la forme d'un Texte qui opérait *comme* une nature puisqu'il en avait, n'est-ce pas, toutes les caractéristiques (pureté, virginité, inaltérabilité, etc.) ? Mais, dans tous les cas, l'enjeu était essentiel. Et s'il était si essentiel, s'il était si capital, pour l'intégriste, que cette Origine, d'une part, existât et, d'autre part, fût indiscutablement bonne, c'est qu'il la lui fallait pour *fonder* son lien social. Le fin du fin, pour l'intégrisme : qu'il y ait une Autorité, quelle qu'elle fût, dont on puisse penser qu'elle *justifie* la communauté. Son but suprême : que, de sa communauté, on puisse dire « ce n'est le fruit ni de son caprice, ni de son décret, ni, bien sûr, de notre souveraineté ; la communauté est bonne parce qu'elle est nécessaire et elle est nécessaire parce qu'elle renoue avec une Origine qui la surplombe et, depuis ce surplomb, la légitime ».

Eh bien, là encore, inversion.

Etre anti-intégriste c'est refuser, bien entendu, la postulation d'une bonne nature, d'une bonne origine etc. Et c'est la refuser, soit dit en passant, dans tous les ordres – jusques et y compris, peut-être, dans celui de l'esthétique : qui sait s'il n'y a pas une tentation intégriste, par exemple, dans l'art brut ? dans la tentation du poème orphique ? dans la « bouche d'ombre » hugolienne ? dans l'écriture automatique surréaliste ? dans toutes les esthétiques qui se réfèrent à un « Poème », originaire et sacré, qui dicterait au poète sa poésie ? dans celles qui postulent un « secret du monde », dévoilé à travers l'œuvre ? dans la fascination, en art, de la folie ? de l'enfance ? dans l'enfance de l'art ? dans l'idée, mallarméenne, d'une « dernière œuvre », où l'Etre se résumerait ? dans la fascination, blanchotienne, du « livre des livres » ? chez les croyants du « mystère » littéraire ? chez les dévots de la « pureté » en peinture ? dans les monochromes blancs de Malevitch ? les monochromes noirs de Barnett Newman ? chez tous les peintres qui, conformément au modèle, sont allés chercher l'origine à la fin ? chez ceux qui, n'ayant pas compris Baudelaire (« vous êtes le premier dans la décrépitude de votre art »), ont voulu être les derniers et voir s'éteindre l'art avec eux ?

Mais c'est la refuser aussi, surtout, dans l'ordre politique. Avec une série de conséquences très concrètes, quant au fonctionnement d'une société : être vraiment anti-intégriste, c'est-à-dire renoncer à toute espèce de mythe d'origine, c'est répudier, par exemple, la question même du *fondement* de la démocratie ; c'est évacuer la problématique de la *légitimité* ; c'est fermer tout un rayon de la bibliothèque : celui des livres qui prétendaient savoir à quelles conditions transcendantales un ordre peut être réputé « juste » ou « bon » ; c'est dire : « ce lien est là ; rien ne le fonde ; personne ne le garantit ; aucune instance supérieure, aucune loi cachée ne viendra plus m'assurer qu'il est meilleur, plus achevé » ; c'est se faire à cette idée neuve, difficile : « les sociétés sont contingentes, artificielles – fruit, non pas du caprice, mais du hasard, ou du libre vouloir des hommes, ou de grands crimes commis en commun, ou de petits arrangements avec les morts ou les vivants » ; c'est affronter cette perspective nouvelle et moins rassurante, hélas, que les évidences de l'intégrisme : un pacte précaire, peut-être vicieux, entre des individus eux-mêmes vicieux, fautifs, sujets à l'erreur – pluralité pure d'êtres vivants et parlants, Lacan disait de parlêtres, qu'aucun métalangage ne viendra plus traverser, ni assurer dans leur identité.

La démocratie, autrement dit, c'est l'athéisme.

C'est le premier régime à oser se passer, absolument, de religion.

C'est le régime où l'on croit au Péché, à la Bible, etc. – mais c'est aussi, dans le même temps, et pour les mêmes raisons, celui qui pousse l'agnosticisme jusqu'au bout et s'exerce à la pensée d'un retrait définitif de la transcendance.

Paradoxe ? Non. Logique. Car la Bible d'Isaïe et de Jérémie, celle qui brisait les idoles et exhortait à fuir les bosquets sacrés, était *déjà* un livre qui invitait les hommes à désacraliser le monde ; c'était déjà *le* livre qui leur adressait ce commandement : « ayez assez de force d'âme pour supporter, sans désespoir, la contemplation du ciel vide. »

La communauté, enfin. La bonne communauté. C'était le credo de l'intégriste. Son fantasme directeur. Et c'était à la constituer que conspiraient ses postulats.

Là aussi, c'est terminé. L'idée même de ce lieu vide, cette élision de l'instance de légitimation ou de garantie, cette économie sans précédent de Dieu pour fabriquer du lien social, cet athéisme, tout cela ne peut que ruiner, et à jamais, le rêve de la bonne communauté.

Mais le démocrate va plus loin encore.

Il ne se contente pas de dire : « je ne sais si la communauté est bonne ou pas; rien ni personne ne me l'assure; donc, je m'abstiens d'en décider. »

Il ajoute, et c'est évidemment bien plus grave : « toutes les sociétés sont mauvaises; toutes sont imparfaites; jamais les sociétés ne sont des communautés. »

Parole de démocrate : je rassemble et je divise; je lie et je délie; ce qui délie n'est pas moins essentiel que ce qui lie; et le bout par où mon lien se défait n'est pas moins démocratique que celui par où il se noue.

Parole de démocrate : drôle de lien; pauvre lien; un lien fragile; un lien mal fait; un lien qui n'est démocratique que pour autant qu'on lit, jusque dans son nœud, ce qui tend à le délier autant que ce qui le lie.

Parole de démocrate, encore : une société peut tendre à la démocratie, elle ne sera jamais démocrate; elle peut avoir la démocratie pour essence, il est dans son essence de ne pas rejoindre son essence; elle rêve de perfectibilité indéfinie, il est dans son concept de n'être jamais conceptuellement achevée; une société peut avoir pour devise : « démocratie ici, maintenant » – jamais, d'aucune société, on ne pourra dire : « voilà, c'est bien, nous y sommes, la démocratie est réalisée. »

A quoi reconnaît-on un démocrate ?

A cette « insociable sociabilité » dont parle Kant dans *Idée d'une histoire universelle d'un point de vue cosmopolitique*.

Au fait que sa « tendance à entrer en société » est toujours liée, dit encore Kant, à « une constante résistance à le faire ».

Et au fait, toujours selon Kant, que cette tendance « menace sans cesse de scinder la société ».

Cette menace, cette scission – qu'est-ce d'autre que le Tragique même ?

De là, une série d'autres conséquences, peut-être plus concrètes encore.

1. Un démocrate a un lieu de naissance, par exemple. Il a, comme chacun, une nation. Et l'idée, n'est évidemment pas de rayer les nations de la carte, ni de les fondre dans on ne sait quel vague, et creux, mondialisme. Mais avoir une vision tragique de la bonne communauté, ce sera admettre que cette nation n'est jamais « la » bonne nation ; et ce sera donner congé, donc, à cette idolâtrie de la nation qu'était, tout à l'heure, le nationalisme.

2. Un démocrate a une culture, une langue, etc. Et fou serait celui qui ferait abandon de cet inestimable bien. Mais être *réellement* démocrate c'est tenir cette culture, et cette langue, pour des lieux, non de fixation, mais de traversée ; c'est renoncer au mythe de la propriété des langues et des cultures pour y accueillir, au contraire, la plus grande quantité possible d'impropriété et de désordre ; c'est consentir, en un mot, à un cosmopolitisme raisonné dont je m'étonne qu'il donne si souvent lieu à polémique alors qu'il n'est rien que l'inévitable conséquence d'une stratégie de résistance à l'intégrisme. Démocratie? Cosmopolitisme.

3. Qu'est-ce, au juste, que ce cosmopolitisme? Certainement pas un geste qui abolirait les lieux, les langues, les cultures. Mais celui, tout différent, qui

les accepte, voire les chérit, mais à condition d'y injecter, de nouveau, la plus grande quantité possible d'impureté, d'impropriété. Le vrai modèle, au fond, du geste cosmopolite est celui de la transgression, telle que Bataille la définit dans ses textes sur l'érotisme : je traverse la frontière; il *faut* que je la traverse; mais loin que cette traversée nie, ou gomme, ladite frontière, elle ne fait, paradoxalement, qu'en réaffirmer l'existence et la place. C'est celui, aussi, de la traduction selon saint Jérôme et, donc, Larbaud : les langues sont ce qu'elles sont; il n'est question ni de regretter leur existence ni de rêver d'un esperanto où elles viendraient se fondre; mais passionnants sont, en revanche, le passage d'une langue à une autre, les chemins qu'il faut emprunter, les va-et-vient et la double corruption que ce mouvement induit – dans la langue d'arrivée, comme dans celle d'où l'on était parti. Transgression et traduction : deux métaphores pour la démocratie.

4. Un vrai démocrate en Europe sera, par la force des choses, européen. Mais il devra prendre garde à ce que l'Europe ne redevienne pas, non plus, une *autre* bonne communauté. Il veillera à ce qu'elle ne désigne pas une super ou une métanation, dotée de tous les attributs des nations traditionnelles, sauf qu'elle les porterait à une sorte d'exposant supérieur et, ce faisant, de perfection plus grande. C'était, songeons-y, la tentation de certains intellectuels fascistes des années trente. C'est très précisément ce que faisait un Drieu La Rochelle quand, dans *L'Europe contre les patries*, il disait en substance : « les nations ont failli, mais il reste l'Europe; et cette

Europe, il faut la construire comme les nations auraient dû l'être. » Echapper à cette tradition, alors? Conjurer cette menace qui rôde dans les parages de *tous* les discours européens? C'est faire de l'Europe un être qui n'ait plus rien d'une nation. C'est en faire quelque chose qui ne soit plus, d'aucune manière, une communauté. C'est la désubstantialiser. C'est la déchosifier. C'est, quand on dit Europe, avoir en tête, non pas une chose, mais un geste; non pas une substance, mais un mouvement; et un mouvement qui ne soit, lui-même, que ce qui permet, inlassablement, de passer les frontières, croiser les identités, bref accélérer les processus de transgression-traduction qui sont au cœur du cosmopolitisme. Europe-Idée. Une certaine idée de l'Europe. L'Europe n'est rien de plus, rien de moins, que cette idée.

5. C'est pourquoi une conception vraiment démocratique de l'Europe devra désavouer toutes les éternelles spéculations sur l'âme européenne, la culture européenne, voire l'identité ou même la citoyenneté européennes. L'Europe est une idée, elle n'est pas une identité. Elle est cette idée qui traverse, traduit, déplace, corrompt les identités; comment serait-elle, à son tour, une autre identité ? Elle n'est pas une chose, ni une substance, et elle est même (je viens de le dire) ce qui a précisément vocation à contrarier le substantialisme spontané des sociétés; ne serait-il pas pour le moins absurde de la voir accoucher d'un autre gros animal que l'on baptiserait Europe ?

6. C'est le fond du malentendu. On fait toujours comme si l'Europe devait réunir, rassembler, fédérer. On dit : « faisons l'Europe pour surmonter nos divi-

sions, associer nos énergies; l'Europe est une machine à rapprocher les peuples européens.» Et si c'était l'inverse? Et si l'Europe, parce qu'elle est une idée, et que cette idée a pour fonction de travailler, déplacer, traverser, *toutes* les communautés, avait précisément pour vocation de désunir, dissocier, diviser? Et si le geste européen par excellence n'était pas, ou n'était que secondairement, celui qui rassemble, fédère, incorpore – et s'il était toujours, et prioritairement, celui qui ôte du corps à ce qui en a trop; celui qui, par conséquent, défait, dissout, désintègre, désincorpore?

7. Un démocrate a des fidélités, des adhérences, des appartenances; il est Français, Italien, Britannique, Européen; il est fidèle, peut-être, à telle Eglise; membre, si le cœur lui en dit, de telle minorité; il a une origine; une mémoire, partagée avec d'autres; mais il ne sera réellement démocrate que s'il peut soutenir qu'aucune de ces déterminations n'entame ce roc qu'est sa subjectivité. Un démocrate est un Sujet.

3

Faire le deuil de la vérité

Il y avait un régime intégriste de la vérité.
La vérité existe, disait l'intégrisme.
Elle est une.
Elle est toute.
Elle est difficile à connaître, sans doute. Obscure à la plupart. Il est semé d'embûches, le chemin qui y conduit. Mais enfin il est tracé. Il est possible de le parcourir. Et c'est même ce que lui, le Pur, va s'employer à faire : c'est son ambition; c'est sa mission; c'est l'essentiel de son occupation – l'intégrisme ce n'est rien d'autre, à la fin des fins, que ce pari sur un bon chemin dont il aurait, et lui seul, l'accès.

Tantôt – le plus souvent – il dit : «c'est affaire de don; ou de grâce; il y a un Dieu de la Vérité qui a donné à quelques-uns la clef de son royaume; j'en suis; c'est moi; je suis, moi qui vous parle, la Vérité qui parle; et c'est pour cela qu'il faut m'adorer.»

Tantôt – variante moderne, moderniste, technocratique : «c'est affaire, non de don, mais de science; non de grâce mais de compétence; il y a, sur chaque question, un bon point de vue ; sur chaque problème, une juste perspective ; je ne suis pas plus inspiré, mais mieux informé ; j'ai fait les bons calculs, procédé aux justes repérages ; c'est affaire de technique, presque de géométrie, je ne suis qu'un humble, mais impeccable, géomètre et c'est en cela qu'il faut m'écouter. »

Parfois encore – variante sophistiquée, et plus avenante : « je suis un homme ordinaire ; je ne suis même pas si bon technicien ; mais nous allons discuter ; échanger nos points de vue ; nous allons avoir un franc et bon débat ; et c'est la vertu des débats, et le miracle des échanges de vues, de permettre au Vrai de se dégager et, en se dégageant, de s'imposer. »

Mais l'idée, dans tous les cas, est la même : la Vérité est là, à portée de main ou de discours ; un homme, un clan, un Etat, un peuple, peuvent, en y mettant le prix, prétendre la posséder ; et cela est capital, c'est même un point central de la machinerie intégriste – car comment, sans cela, être certain que l'on a renoué avec la bonne nature, la bonne origine, la bonne légitimité ?

Alors, le démocrate, lui, fait l'inverse.

Il fait de nouveau – et nécessairement – l'inverse.

Car au commencement, ne l'oublions pas, est *aussi* le refus de la dictature.

Au commencement, la volonté de retirer, tant que faire se peut, leurs armes aux possibles tyrans.

Or c'est une arme terrible, cette vérité.

C'est peut-être la pire des armes ou, en tout cas, la plus imparable.

Car écoutez-les.

Voyez ce surcroît d'arrogance des maîtres quand ils peuvent, sous une forme ou sous une autre, se dire les dépositaires du Vrai.

Et que répondre à quelqu'un qui, non content de vous gouverner, parfois de vous humilier, prétend, par-dessus le marché, le faire au nom de ce Vrai ?

Il y a un despotisme de la vérité, implacable – celui dont parle Hannah Arendt lorsqu'elle dit que « la vérité » ou, en tout cas, « les vérités que l'on nomme évidentes » ont le pouvoir de « contraindre l'esprit » et que cette contrainte, « bien qu'elle n'ait pas besoin de violence pour être effective », porte en elle-même « un élément de coercition ».

Il y a une dictature *par* la vérité – et c'est bien ce qu'avaient compris les sophistes grecs quand, à toutes les théories de la connaissance de leur époque, à celle de Platon et à celle d'Aristote, à toutes les doctrines qui font de la Vérité une Réalité, une Idée ou une Chose, à toutes les philosophies de leur temps et du nôtre, contre la raison et contre le logos, en un geste d'une audace sans pareille et qui n'a, depuis, peut-être jamais été retrouvée, ils opposaient la thèse fameuse : « l'homme est la mesure de toute chose » – manière de dire qu'il n'y a pas de transcendance du Vrai, pas de Ciel où il serait inscrit et pas non plus de grands prêtres qui auraient pouvoir, mission ou mandat de l'y déchiffrer.

Platon voit bien le danger – qui, du *Gorgias* aux *Lois*, consacre toute une part de son œuvre à ferrailler contre des hommes qui commettent le double crime (à ses yeux, le même crime) d'anéantir sa théorie de la connaissance et de ruiner toute possibilité de donner à la République un fondement transcendant et solide.

Mais il est clair que, dans cette querelle, dans ce débat entre ceux qui, en effet, entendent non seulement dessaisir, mais décourager quiconque, Prince ou Peuple, serait tenté d'exercer son pouvoir au nom d'une vérité une, certaine, révélée – et ceux, en face, qu'il est difficile de ne pas soupçonner, quand on les voit tenir si fort à leur théorie du Vrai, de ne pas avoir déjà dans la tête leur théorie des Lois, entre ces deux camps, l'on ne peut, quand on a pour principal objectif de battre en brèche le despotisme, que choisir le premier et applaudir à la tentative.

La théorie de « l'homme mesure de toute chose » est la seule qui, en toute rigueur, soit compatible avec l'égalité des hommes.

Inversement : on ne peut être démocrate si l'on ne sape, par tous les moyens possibles – et la Sophistique en est un – cette majestueuse, et terrible, idée de la Vérité.

La liberté n'est possible que si la vérité ne l'est pas.

Suspendez votre croyance à la vérité, la liberté retrouvera ses chances.

Est-ce à dire que la démocratie soit le règne des sceptiques ? des cyniques ? est-ce à dire que le démocrate ait fait son deuil de *toute* vérité et qu'il soit de ceux qui disent : « à chacun sa vérité ; autant de vérités que de sujets ; toutes les vérités se valent et valent ce que vaut leur sujet » ? Et comment, si tel est le cas, si chacun a son point de vue et que tous les points de vue sont équivalents, éviter de dire que le bourreau a le sien? et le fasciste? et l'intégriste? comment, à l'extrême limite, ne pas laisser s'installer l'idée qu'un Faurisson a son point de vue, qui vaut celui d'une victime de la Shoah?

C'est le risque, en effet.

Ce sera, toujours, le risque d'une position telle que celle-ci.

Et c'est d'ailleurs *aussi* ce que dit Platon; et il faut bien avouer que sur ce point, quand il reproche à Protagoras de n'avoir plus rien à opposer à Calliclès, quand il lui dit que, parti d'une défense de l'individu contre les tyrans, il risque de se retrouver, à l'arrivée, devant un tyran qui aura été assez malin pour imposer « sa » vérité sans que nul, face à lui, n'ait plus les moyens ni le droit, de récuser cette vérité – on est tenté, soudain, de rallier le camp de Platon.

Disons alors que, si la Vérité n'existe pas, si elle n'est pas un existant parmi d'autres existants, si ce n'est pas une « chose » que tel ou tel pourrait s'approprier, un lieu qu'il pourrait occuper, une source dont il se ferait l'interprète, si l'on tient bon, autrement dit, quant au parti de ne pas laisser de faille par où puisse revenir la triomphale assurance de qui posséderait *la* vérité – on peut parfaitement dire, en revanche : la vérité est une fiction, un être de raison, peut-être même une idée, mais attention! moins au sens de Platon que, de nouveau, à celui de Kant : une sorte de noumène, ou d'idéal régulateur, ou, simplement, d'horizon; ce point, dans le ciel étoilé, qui guide l'homme dans sa marche, mais sans qu'il ait, bien sûr, l'illusion, ni le désir, d'y atteindre.

Et disons alors que la différence entre Socrate et Calliclès, ou entre l'homme libre et le tyran, c'est que l'un suit l'horizon et que l'autre s'en détourne; l'un, même s'il la sait éternellement cachée, continue de postuler cette vérité cachée et même de la vouloir, mais obscurément, tragiquement encore, tandis que l'autre est animé par d'autres passions, d'autres volontés : la volonté de tyranniser par exemple ou, toujours, la volonté de pureté; la grande différence entre Faurisson et le rescapé des camps nazis n'est-elle pas, au fond, qu'ils ne suivent pas le même point, qu'ils ne marchent pas dans la même nuit : l'un, dans la nuit de l'antisémitisme, continue de poursuivre les Juifs d'une inexpiable rage tandis que l'autre, dans la nuit du souvenir et de l'horreur indicible, dans cette nuit totale où il n'en finira jamais d'errer et où – tous les rescapés en témoignent – il n'y a étrangement plus place pour la haine, ni pour la vengeance, n'a plus d'autre volonté que celle, pathétique, et impossible, de témoigner?

Volonté contre volonté, à nouveau.

La parole de ceux qui ont la nostalgie de la vérité contre celle des tyrans qui nourrissent d'autres pensées.

Quand bien même la vérité existerait, la différence entre les deux ne serait toujours pas de talent, science, compétence, géométrie – mais encore de volonté : ceux qui voudraient vouloir la vérité et ceux qui s'en détourneraient parce qu'ils seraient aimantés, simplement, par d'autres volontés.

Mais que la vérité n'« existe » pas, voilà qui, en toute hypothèse, demeure.

Qu'elle soit – comme, d'ailleurs, la démocratie elle-même ; ou comme le Messie – un objet inassignable, et qui se dérobe à la prise, voilà qui reste valable.

Que je cède sur ce point, que je renonce à cette idée que la Vérité, même rêvée, n'est pas de ce monde, que je cesse de répéter, inlassablement, qu'une vérité cachée n'est jamais une vérité révélée, et, alors, tout est perdu : le moyen, si la vérité existe, d'empêcher un homme, un Etat, un Peuple même d'annoncer : « la bonne communauté existe, j'en ai trouvé la vérité et c'est conformément à cette vérité que je décide de vous soumettre » ?

De là quelques conséquences – dont on ne mentionnera que les plus visibles et les plus simples.

Il y a des savants, en démocratie. Des compétents. Il y a des hommes qui ont, sans doute, plus de lumières que d'autres sur le fonctionnement de la chose publique. Mais si ces lumières éclairent la réflexion commune, si elles permettent à chacun de se prononcer en meilleure connaissance de cause, si elles orientent le jugement et le motivent, si elles permettent même, dans certains cas, à la raison de faire reculer la passion, l'emportement, l'enthousiasme, elles ne nous mettent plus pour autant, et comme avant, *dans* le Vrai.

Les « grands politiques ». Il faut des « grands politiques » aux démocraties. La politique, la vraie, n'est-elle pas, aussi, ce qui fait défaut ? Et ne manquons-nous pas cruellement, en France, d'hommes capables de se charger d'Histoire ? Seulement, attention ! Ce ne seront plus les mêmes. Ils n'auront plus rien de commun avec les chefs charismatiques de l'intégrisme. En intégrisme : le grand politique est celui qui guide sur le chemin du Bien et du Vrai; il a cette affinité, profane, avec une transcendance dont il se dit le médiateur; et son modèle reste toujours, au fond, celui du faux messie. En démocratie : une grâce, peut-être; une inspiration, sans doute; une certaine qualité d'audace, de « virtu »; un sens de l'occasion – ce « kairos » dont les sophistes, toujours eux, reconnaissaient à Périclès l'art de s'emparer mieux que personne; un goût de l'écart par rapport à sa propre communauté; le geste de De Gaulle en 40; celui de Willy Brandt s'agenouillant au ghetto de Varsovie; Havel, l'ancien dissident.

Le vote. Principe des démocraties? Sans doute. Mais on ne dira plus : « la vérité sort du vote. » On ne s'exclamera plus, sous prétexte qu'elle est votée : « merveille! *c'est* la vérité! » On saura, d'ailleurs, qu'un autre vote peut fort bien, et très vite, démentir le premier. La volonté générale a pu se tromper, elle se trompe sans arrêt – et le fait qu'elle se prononce ne signifie rigoureusement rien quant à la vérité.

Un scrutin peut être massif, autrement dit. Il peut être régulier, incontestable. Il reste en lui (et il est bon que reste ce reste) quelque chose d'ontologiquement contestable et douteux.

Il faut, en démocratie, douter de tout – même, et surtout, de ce que dit le peuple ou de ce que veut sa volonté.

Une majorité dit ceci? Rien ne m'oblige, désormais, à entériner son dire.

L'unanimité pense cela? Rien, plus rien, n'indique que, même unanime, elle pense vrai.

Si je suis seul à penser comme je pense? Eh bien je pousserai jusqu'à ses conséquences dernières la critique de la volonté de pureté; j'irai jusqu'à cette mise en suspens de la volonté de vérité; et j'essaierai d'oser penser que je peux, seul contre tous, avoir raison.

Ce qui fonde ma raison, alors? Rien, bien sûr. En toute rigueur, et si par «fonder», l'on entend retrouver cette garantie transcendantale que j'aurai retirée au tyran, rien ne m'assurera que c'est moi, et pas lui, qui me trouve dans le vrai : je ne serai ni mieux assuré ni plus certain que lui.

Ce qui fait que c'est ma raison? que je m'y tiens? Pourquoi la Bosnie, par exemple? Et, en Bosnie, cette obstination? Une conviction. Des réflexes. Quelques valeurs partagées. Une philosophie.

Si j'ai pris, en Bosnie, le risque d'avoir tort? Sûrement, oui. Forcément. Mais ce n'était plus tout à fait la question.

La question? Il y avait, en Bosnie, une idée de l'homme, de la culture, de la nation, de la ville, de la société, de l'Etat, dont je savais que la disparition appauvrirait l'Europe. Et il y avait en face, dans ce que disaient et promettaient les Serbes, une image du monde qui, elle, me faisait horreur.

D'où vient qu'une idée l'emporte sur l'autre? l'Europe cosmopolite des citoyens de Sarajevo sur l'Europe intégriste de Karadzic? Certainement pas sa vérité. Pas davantage sa pertinence. Jamais, non, une valeur ne s'est imposée parce qu'elle était plus juste qu'une autre. Jamais un Serbe, ou un ami des Serbes, ne cédera à la démonstration de la fausseté de ses analyses. Barrès savait que Dreyfus était innocent; céda-t-il, pour autant, au jeune Blum venu lui demander sa signature pour le manifeste des intellectuels? Drieu, surtout les derniers jours, savait qu'Hitler allait à sa perte et qu'il précipitait celle de l'Europe; rend-il pour autant les armes à Malraux, d'Astier de La Vigerie, les autres?

Ce qu'il faut dire alors? Ce que je dois opposer au Serbe, à l'Iranien, au militant du FIS ou au mollah du Bangla-Desh? Ma force. D'abord ma force. A commencer, bien entendu, par celle de ma conviction.

Où je retrouve, à nouveau, la leçon des Sophistes.

Ou celle de Nietzsche, grand admirateur des sophistes.

Ou encore celle de Foucault, mais le dernier Foucault, nietzschéen et sophiste, dont c'est le tout dernier mot : le Foucault qui tient que le pouvoir par exemple ne se possède pas, mais se joue, se gagne et se risque; le Foucault qui, renversant Clausewitz, déclare : « la politique est la guerre continuée par d'autres moyens. »

4

Penser comme on fait la guerre

Je veux parler de la guerre.

Pas la guerre de Bosnie cette fois. Ni la guerre contre le fascisme. Pas ces guerres, extérieures, que nous n'avons pas faites et que nous ne ferons peut-être plus. Non. Je veux parler d'une autre guerre – plus essentielle, plus fondatrice; intime aussi.

Je veux parler de l'interminable guerre intestine qui est le lot des sociétés vouées au Tragique.

Je veux parler de cette guerre de soi contre soi où les démocrates, s'ils étaient lucides, reconnaîtraient leur bien.

Je veux dire que la démocratie c'est la guerre.

Le débat.

Cette forme de guerre qu'est le débat.

Il y a des démocrates qui rêvent d'une société sans débat – ils veulent une humanité aseptisée, normalisée, pasteurisée; ils veulent une humanité où l'on s'entende et où, pour mieux s'entendre, on n'entende plus le bruit d'aucun conflit.

C'est, je l'ai plusieurs fois dit dans ce livre, la solution de l'intégrisme. C'est, dans le meilleur des cas, la formule du populisme. On ne peut pas être démocrate – on ne peut, en tout cas, le demeurer bien longtemps – si l'on consent à cet aimable piège : un démocrate, s'il est conséquent, non seulement accepte le litige, mais le souhaite, l'attise, le fomente; le démocrate est querelleur; la démocratie est batailleuse; une démocratie fidèle à ses principes le serait, non pas en dépit, mais *à cause* des débats qui la déchirent.

Débat sur les grands choix qui président à son destin : un régime est à l'agonie, dit Montesquieu dans *De l'esprit des lois*, quand on n'y entend plus le bruit d'aucun conflit – sinon celui, pitoyable, des petites ambitions et des grands appétits.

Débats sur les lois, les règlements dont elle se dote. On apprécie, d'habitude, une loi selon son degré de conformité à la volonté, exprimée ou supposée, du peuple souverain. Il faudrait pouvoir ajouter ce critère : le nombre, l'intensité, la durée des discussions qu'elle aura suscitées, des conflits qu'elle aura réveillés, fait naître, déchaînés – on pourrait juger de la teneur en démocratie d'un texte ou d'une mesure en fonction de la quantité de litiges qui s'y sera déposée et, pour ainsi dire, pétrifiée.

Débats sur le passé enfin – ce mauvais passé que les intégristes voudraient tant voir passer, ou bien neutraliser, blanchir, par la célébration totémique. Démocrate est celui qui, au contraire, aiguise les débats du passé. Il n'ânonne pas, comme les autres : «laissons les morts enterrer les morts; ne rouvrons pas les vieilles plaies», car il sait que c'est en fermant les anciennes qu'on en ouvre de nouvelles – et c'est pourquoi, en France par exemple, il ne perdra pas une occasion, car la démocratie y est à ce prix, de rouvrir le débat sur Vichy, l'affaire Dreyfus ou la guerre d'Algérie.

Il y a, dans les sociétés modernes, une conjuration contre le débat.

Il y a, dès que se profile l'ombre d'un débat, un drôle de front qui se constitue pour l'empêcher de sourdre : c'est l'intégriste, bien sûr, avec sa phobie de l'impur; c'est le populiste avec son mépris des intellectuels et des idées; c'est l'ancien marxiste qui a gardé ses habitudes et ne croit qu'à la dialectique, donc aux contradictions dénouées; c'est l'expert qui pense que les débats sont des problèmes et que les problèmes ont des «solutions»; et voici le libéral lui-même, oui, le gentil libéral qui ne veut pas être en reste et qui rejoint la troupe en brandissant sa théorie de la main invisible : «un conflit? non; un malentendu; un ordre secret régit le monde – qui voue les points de vue à se concilier.»

Cette conjuration est mortelle pour les démocraties.

Elle avait triomphé dans l'Allemagne des années soixante-dix. Et c'est, disaient-ils, parce qu'ils étouffaient dans une société de consensus obligé, et aussi parce qu'il s'était formé un accord pour faire passer le passé nazi, que des jeunes hommes et des jeunes femmes laissèrent le refoulé revenir en eux – et ce fut la bande à Baader et sa sinistre aventure.

Elle avait triomphé dans l'Italie des mêmes années. Et là aussi, les témoignages sont éloquents : c'est le « compromis historique » qui fut source des Brigades rouges; c'est cette première conjuration qui, avec sa décision, si étrange (et que l'on comprend, aujourd'hui, peut-être mieux), de neutraliser le corps politique et d'y éteindre toute rumeur de différend, fut cause de la seconde et de sa secte d'assassins.

On croit évacuer le conflit; c'est la violence qui revient.

On croit semer la paix, on récolte la tempête.

Je préfère, à tout prendre, celui qui dit : « je ne suis pas venu apporter la paix mais la guerre » – et qui déjoue, lui, la récurrence de la haine meurtrière.

Le démocrate, de même : il n'apporte pas l'accord mais le duel; il ne réunit pas, il sépare; donnez-lui une idée, il la divisera en deux, il en fera deux points de vue – en quoi il est bien, étymologiquement au moins, le diable des intégristes.

La lutte des classes.

La cause, d'habitude, est entendue.

La lutte des classes, pour la plupart, est une sombre affaire de doctrinaires marxistes.

Il fallait être marxiste, pense-t-on, il fallait aspirer à la destruction de l'ordre démocratique, pour se plaire à cette idée des classes et de leur lutte.

Là encore, quelle erreur ! Et quel malentendu !

Un marxiste, en réalité, ne se plaisait pas à cette idée. On peut à peine dire qu'il y croyait. Il constatait l'affrontement, sans doute. Il l'aiguisait. Il le jouait. Mais chacun savait – n'était-ce pas écrit dans le plus humble de ses manuels ? – qu'il croyait moins à la *lutte* qu'à la *disparition* des classes et que sa grande affaire était, comme tous les intégristes, l'avènement d'une société où cette lutte aurait cessé.

Le démocrate, lui, ne croit pas à cette fable.

Il ne mise, faut-il le répéter, ni sur la bonne communauté, ni sur l'immanence du Salut.

Et c'est pourquoi il ne croit pas que la guerre de tous contre tous soit quelque chose de provisoire – il ne pense pas que le heurt des passions, des intérêts, soit destiné à s'apaiser à un stade ultérieur de l'histoire de l'humanité.

Cette guerre est éternelle, dit-il. Consubstantielle à l'espèce. Et il ne le dit pas pour le plaisir, ni par défi, ni même parce qu'une sagesse obscure le conduirait à ce point de vue. Non. Il le dit parce que, au point où il en est, il ne peut, tout simplement, plus tenir le parti inverse et qu'il devrait, s'il le faisait, gommer le Mal et vouloir le Bien, oublier son scepticisme et parier sur la Vérité, renouer avec le primitivisme qu'il avait congédié et revenir sur ce naturalisme où il avait appris à voir son pire ennemi. Il dit la guerre est éternelle, elle durera ce que durera le monde parce que c'est *son* monde qui, sans cela, sombrerait corps et biens. Et c'est pourquoi il est bien le seul dont on puisse dire, avec raison, qu'il «croit» à la lutte des classes.

Qu'il préfère la nommer autrement, c'est possible.

Qu'il trouve la formule – «lutte des classes» – dangereusement connotée par sa généalogie, c'est inévitable – les mots ne sont-ils pas habités, eux aussi? hantés, parfois? n'y a-t-il pas, dans certaines langues, des zones entières, que l'abjection d'un temps a usées, épuisées ? les mots ne sont-ils pas, à la fin des fins, plus têtus encore que les faits ?

Il dira « discorde », alors. Ou « tumulte ». Mais une chose est sûre : rien ne lui est plus étranger que le rêve d'une harmonie sociale, où ce tumulte s'éteindrait.

Laquelle, demande Machiavel, dans un passage fameux des *Discorsi*, est la plus républicaine : Sparte avec ses lois d'airain, sa sagesse immuable, ses institutions admirables qui ont su, huit siècles durant, assurer la stabilité de la ville ? Ou Rome – avec ses désordres, sa confusion, sa plèbe en lutte contre les grands, ses grands aux prises avec la plèbe, la constance de ses affrontements ?

C'est Rome, bien sûr, répond-il. Et c'est Rome, non pas en dépit de cette « disunione », mais à cause d'elle. Cette « disunione » est sa chance. Cet affrontement est sa « vertu ». C'est lui qui « fait la cause première de la liberté des Romains » – c'est à lui qu'ils doivent, oui, d'être des sujets libres.

Il y a, dit Machiavel, deux « partis » dans un corps politique. Il y a, pour chacun de ces partis, une « humeur » ou un « désir » – le désir d'opprimer pour l'un, celui de n'être pas opprimé pour l'autre. Et ce corps n'est vraiment républicain, il ne devient le lieu d'une liberté concrète qu'à la condition que ces deux désirs demeurent inconciliés : en chacun, un noyau de nuit – aveugle à l'autre.

On peut dire tumulte, donc.

On peut aussi, en attendant mieux, par provision, continuer de dire « lutte des classes » – les marxistes y ont si peu cru, finalement ! ils ont cassé, si vite, la belle et bonne machine qu'ils avaient entre les mains !

Il faut, en tout cas, dire ceci : les démocraties, si elles veulent survivre, ou revivre, si elles veulent demeurer ce type de régime où le Sujet s'affirme en s'émancipant, devront retrouver le sens, le goût, de la lutte des classes.

L'ennemi.

Ce goût de la discorde va-t-il jusqu'à chérir son ennemi ?

Le cultiver ? Le préserver, comme on le fait d'une espèce menacée ? Non, bien entendu. Et quand l'ennemi a le visage de l'intégrisme ou de sa caricature populiste, on ne peut, au contraire, que le haïr de toute son âme.

Seulement, voilà. Haïr est une chose – rêver en est une autre, et se parjurer encore une autre. Et haïr son ennemi ne doit pas vouloir dire que l'on tourne soudain le dos à tout le stock de convictions que se sont, au fil du temps, forgées les démocraties.

Conviction numéro un : on n'en finit jamais avec le Mal. Conviction numéro deux : lorsque l'on s'y essaie, lorsque, au mépris de toute sagesse, on feint de croire en un monde qui expurgerait sa part maudite, on ne l'élimine pas, on la refoule. Et conviction numéro trois : ce refoulement a pour effet, mécanique, et donc constant, de le faire revenir tôt ou tard, sous un nouveau visage – qui pourra être le vôtre ; comment ne pas admettre qu'un démocrate qui entreprendrait, soit de liquider son ennemi, soit de l'expulser aux marges de son espace, reproduirait le geste même de celui qu'il prétendrait combattre ?

D'où cette conclusion, paradoxale, difficile à penser – mais comment y échapper ? Si je vais au bout de mon vouloir, si le projet est bien de compromettre, ou de rendre impossible, le règne de la pureté, je dois haïr mon ennemi, oui ; le combattre, c'est évident ; tout faire pour en triompher, cela va de soi ; je pourrai même, dans cette partie, utiliser tous les moyens, toutes les ruses ; mais je devrai – et le paradoxe est là – ne rien faire, ne rien dire, qui donne à penser que je songe à m'en libérer.

Soit, encore, le cas Faurisson. Ou, au même moment, en ce milieu des années quatre-vingt, la foudroyante ascension d'un parti néofasciste en France. J'ai été, d'emblée, sur la brèche. Et je ne crois avoir ménagé ma peine, ni sur un front, ni sur l'autre. Mais je me souviens, en même temps, n'avoir jamais été choqué, par exemple, que le premier trouve des éditeurs disposés à le publier – ni que le second puisse envoyer des députés au Parlement.

Par tolérance ? Je ne crois pas, non, que ce fût de la tolérance. Je savais, simplement, que l'on n'a pas inventé – que l'on n'inventera, sans doute, jamais – la « gomme à effacer l'immondice humaine » dont parlait Louis Aragon et qu'une démocratie qui passerait outre, en tentant d'effacer son ennemi, prendrait le risque de se dénaturer et, donc, de lui ressembler.

La démocratie vit *avec* son ennemi. Elle est le seul régime qui se condamne à cette proximité nauséabonde. Et tel est peut-être même la forme d'héroïsme de ceux qui s'en réclament en connaissance de cause : ils savent que le bien et le mal, la liberté et son contraire, le pur et l'impur, doivent vivre et grandir ensemble, indéfiniment – l'un à l'affût de l'autre, lui cédant, reprenant l'avantage, cédant encore, le tenant en respect, réattaquant; ce mélange, jusqu'à la fin des temps, de convulsions, d'assoupissements et de guerre de positions.

La révolte enfin.

Je veux parler de cette autre forme de guerre qu'est la révolte.

Je n'ai pas le culte de la révolte. Je n'ai jamais cru, je ne crois toujours pas, que l'on ait toujours raison de se révolter. Mais ce monde semble parfois si pauvre, si satisfait de lui-même, on y sent une telle veulerie, une telle paralysie de la volonté ou du courage, on y croise si peu d'hommes qui aient la force par exemple, la simple force, de dire non, ce monde est si plein de soi, si plein de son assentiment à soi, il y a quelque chose de si suffocant dans cette façon que l'on y a, comme jamais, d'acquiescer à l'ordre des choses, que l'on est tenté d'en appeler, contre lui, à une renaissance de l'esprit de révolte.

On dit que ces sociétés sont fatales, qu'on ne peut rien y modifier – on dit qu'avec le communisme s'en est allée la dernière illusion qui invitât à changer le monde : de quel droit dit-on cela? du fond de quelle certitude?

On dit : il faut défendre l'Occident; l'Occident, en tant que tel, mérite d'être défendu. Si, par Occident, on veut dire démocratie et si, en le défendant, on la défend contre l'intégrisme, comment ne pas souscrire? c'était tout le propos de ce livre. Mais il y a l'autre intégrisme. Il y a l'intégrisme du dehors – mais il y a aussi celui du dedans. Il y a cet ordre de l'Opinion, du Spectacle, etc., qui participe du même règne : imagine-t-on un anti-intégrisme qui se battrait contre l'un sans rien trouver à redire à l'autre? un Occident qui en serait là ne mériterait-il pas notre mépris, notre rage?

On dit : il faut renouer avec l'Europe; car trop longue fut, chez les Européens, la haine européenne de soi. Et c'est encore vrai. Sauf qu'il y a, aujourd'hui, une Europe au front bas; une Europe enivrée d'elle-même, et qui ne sait que dire oui; il y a ce narcissisme épais, celui des Etats comme des peuples, qui triomphe en Bosnie, à Kigali, en Algérie, en Italie. Haine de soi, passion de soi. La seconde ferait presque regretter la première – cette part d'elle qui, au moins, instillait l'inquiétude, le doute. Et s'il y avait, *aussi*, quelque chose de beau dans cette haine de soi ? et si, en nous en privant, nous avions appauvri l'Europe? et s'il fallait, pour l'Europe, pour son illustration et sa défense, redevenir, comme disait à nouveau Aragon, les défaitistes de l'Europe?

L'époque invite à la prudence, à la modération. Peut-on, face à l'extrême misère, se contenter d'être modéré? Peut-on, lorsque l'on rentre de Sarajevo ou que l'on songe à l'interminable calvaire de Rushdie, ne pas se dire, comme Voltaire, qu'il n'y a «rien à gagner», jamais, à être modéré ?

L'époque se croit infaillible. Pas un instant, elle ne doute d'avoir fait advenir sa version du meilleur des mondes. La mort aux aguets en elle, comment ne la voit-elle pas? et comment, si on la voit, ne pas tenter de la dire?

On exhorte les intellectuels à la positivité. On leur dit : soyez positifs, c'est ce que le monde attend de vous. Je ne suis pas sûr que ce soit ce que le monde attend ; et l'attendrait-il, que nous aurions, d'ailleurs, le devoir de le décevoir.

On les encourage à renouer avec cette éthique de la responsabilité qu'ils auraient trop longtemps dédaignée. Je ne crois pas que ce soit leur fonction non plus. N'étaient-ils pas, dans l'affaire bosniaque, et du fond de leur impuissance, infiniment plus responsables que ne le leur aurait prescrit cette fameuse « éthique » ?

Les intellectuels ont été des chiens de garde. Voudrait-on qu'ils le redeviennent ?

Ils se sont voulus les gardiens des valeurs. Peuvent-ils encore y prétendre quand tout indique que ces valeurs sont devenues des niches d'infamie ?

Ils se sont crus investis et ont fait un sacerdoce de cette investiture. N'est-ce pas un autre rôle qui se profile, plus humble, plus tragique – un rôle à la mesure du temps, et de sa confusion : le rôle du polémiste, je veux dire de l'homme de guerre ?

Et si la question qui était désormais : où est l'ennemi ? qui est-il ? quelles sont les forces dont il dispose ? à quelles conditions puis-je le défaire ?

Et si la question centrale était vraiment : qui est prêt à penser comme on fait une guerre – en cherchant, certes, à convaincre, mais aussi, et d'abord, à gagner ?

Ces cadavres d'idées. Ces cris étranglés. Il faut refuser cela. Il faut un désaccord radical.

L'abdication comme une accoutumance. L'apocalypse triste. Il faut résister à ces pièges. Et, si les temps s'obstinent, il faudra bien se dissocier.

Querelle.

Colère.

Le monde ne sera habitable que s'il s'y trouve des esprits, en très grand nombre, pour prendre le parti de ces mauvais sentiments.

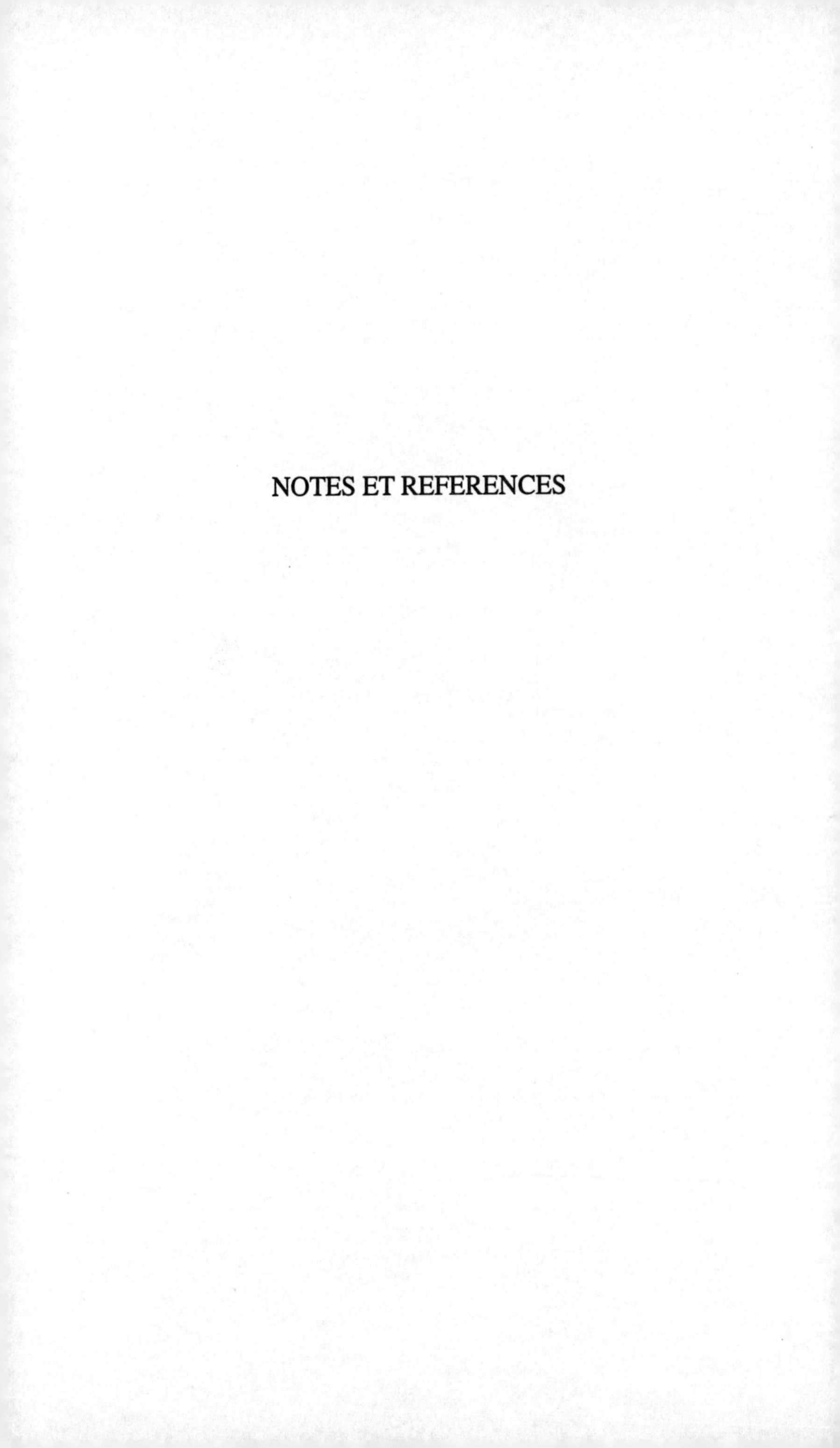

NOTES ET REFERENCES

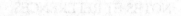

Avant-propos

p. 11 – « ... les autres, comme Husserl... » : Edmund Husserl, mai 1935, conférence donnée au Kulturbund de Vienne, in : *La Crise de l'humanité européenne et la philosophie*, Aubier, 1977.

PREMIERE PARTIE : LE RETOUR DE L'HISTOIRE

1. Les désarrois de l'après-communisme

p. 18 – « ... Cette Europe où on les avait capturées... » : Milan Kundera, « Un Occident kidnappé », *Le Débat*, n° 27, novembre 1983.

p. 20 – « ... j'ai fait, à l'époque, un voyage à Prague, Varsovie, Berlin, Sofia, Bucarest... » : Bernard-Henri Lévy, « Dans les Fourgons de la liberté », *La Règle du jeu*, n° 1, mai 1990.

p. 24 – « ... qu'il redira à Joseph Brodsky... » : Vaclav Havel, Joseph Brodsky, *Le Cauchemar du monde post-communiste*, Anatolia,1994.

2. Démons ou chimères ?

p. 26 – « ... Jean Baudrillard qui donna à ce courant sa forme la plus achevée... » : dès septembre 1984, dans « L'euphorie sous perfusion » Baudrillard commence de formuler l'idée selon laquelle « les pays de l'Est seraient une sorte de sanctuaire, de musée ou de frigidaire de la société civile » ; « un jour, dit-il, on s'apercevra que la glaciation a conservé là-bas des formes et des espèces depuis longtemps disparues chez nous » (texte repris, en 1985, dans *La Gauche divine*, Grasset, p. 151). Voir aussi, surtout, *L'Illusion de la fin*, Galilée, 1993.

p. 27 – «...de la politique comme hantise...» : Jacques Derrida, *Spectres de Marx*, Galilée, 1993.

p. 29 – «... dans la partie qui se joue, ces temps-ci, à Moscou...» : cf. Françoise Thom, «Eurasisme et néo-eurasisme», *Commentaire*, n° 66, été 1994, pp. 303-309.

p. 30 – «... en faisant de comparaison raison...» : Julliard lui-même semblait conscient du danger et des motifs, encore une fois *politiques*, qui pouvaient inciter à passer outre ; témoin, cette réserve, expressément formulée dans son livre *(Ce fascisme qui vient...* Seuil, 1994) : «fascisme est un mot que l'on ne doit pas galvauder en vertu du principe qu'il ne faut pas crier "Au loup !", chaque fois que passe un chien errant» (p. 163) ; puis cette autre (p. 164) : «nous avons, eu égard aux victimes du fascisme vrai, ou des véritables SS, un devoir de réserve et de mesure quand on a affaire à la violence ordinaire» ; reste que, face à la *purification ethnique* et face, surtout, à l'urgence de la *bataille politique* dont l'Europe occidentale était alors le théâtre, il n'en concluait pas moins – comme nous le fîmes, à l'époque, à peu près tous : «là est le germe du fascisme» (p. 168).

p. 31 – «... métaphore pour métaphore, j'en proposai, moi-même, une autre...» : cf. Bernard-Henri Lévy, «Après le communisme, l'Histoire continue», *Le Point*, n° 1053, 21 novembre 1992 ; puis un entretien avec Jean-Marie Colombani, paru dans *Le Monde* du 5 janvier 1993 et où j'évoquais, «entre autres», le «mot célèbre de Marx» sur «l'Histoire qui a plus d'imagination que les hommes», ainsi que «la dernière scène de mon *Jugement dernier*» et où je concluais : «Imaginons un laboratoire. Dans ce laboratoire, une soupe primitive. Dans cette soupe primitive, un big bang. Et à l'intérieur de ce big bang, toute une chaîne de réactions chimiques d'une violence extraordinaire. Des molécules qui se défont... Des molécules qui se refont... Un formidable processus, oui, de fission, combustion, reconstitution corpusculaires au terme duquel apparaîtraient des produits de synthèse inédits... Qui, en 1920, prédisait la synthèse du "national" et du "socialisme" ? Qui, avant Barrès, pouvait imaginer la rencontre, la seule rencontre, des deux mots ? Eh bien nous y sommes. L'Europe, mutatis mutandis, en est là. Elle ne régresse pas, elle invente. Elle ne rumine pas, elle improvise. Elle ne répète pas les formules anciennes : elle les brûle, les broie et, de leurs fragments brisés, puis follement réagencés, fait des précipités nouveaux, jamais répertoriés. Il y a là du nationalisme, bien sûr. Et des bouts de populisme. Et des débris d'antisémitisme. Et un peu de ce bon vieux communisme, moins mort qu'il n'y paraissait. Mais tout cela brassé. Passé à l'épreuve du big bang. Avec, au cœur du tumulte, aussi formidablement improbable que le fut, en son temps, la chimère fasciste, un monstre que la nouvelle Europe enfante sous nos yeux – quoique, pour l'heure, dans notre dos. »

p. 32 – « ... un laboratoire s'ouvre à Paris... » : cf. Bernard-Henri Lévy, *L'Idéologie française*, Grasset, 1981.

p. 32 – « ... un autre laboratoire prend le relais, vingt ans plus tard, à Berlin... » : Jean-Pierre Faye, *Langages totalitaires*, Hermann, 1972.

3. Les dévots de la fin de l'Histoire

p. 35 – « ... et c'était un épigone, Francis Fukuyama... » : Alexandre Kojève, *Introduction à la lecture de Hegel. Leçons sur la Phénoménologie de l'esprit "*, Gallimard 1947 ; Francis Fukuyama, *La Fin de l'histoire et le dernier homme*, Flammarion, 1992.

p. 43 – « ... un Hassan el-Tourabi [...] qui clame à qui veut l'entendre, c'est-à-dire, pour le moment, et en Occident, pas grand-monde... » : cf., néanmoins, l'entretien recueilli, début septembre 1994, pour *Le Nouvel Observateur*, par Olivier Rolin ; et, un peu plus tôt, le texte de Hassan el-Tourabi, paru dans la revue américaine *New Perspectives Quaterly* et reproduit dans *Libération* du 5 août 1994.

p. 43 – « ... il y a là un universalisme malin... » Cette question de l'islamisme radical sera, bien entendu, au cœur de ce livre. Mes sources : Bruno Etienne, *L'Islamisme radical*, Hachette, 1987 ; Olivier Carré, *L'Utopie islamique dans l'Orient arabe*, Presses de la Fondation nationale des sciences politiques, 1991 ; Maxime Rodinson, *L'Islam : politique et croyance*, Fayard,1993 ; Gilles Kepel, *Les Politiques de Dieu*, Le Seuil, 1993 ; Gilles Kepel, *Le Prophète et le Pharaon*, La Découverte, 1984 ; Olivier Carré, *Mystique et Politique, lecture révolutionnaire du Coran par Sayyid Qotb, Frère musulman radical*, Editions du Cerf, 1984 ; Michel Seurat et Olivier Carré, *Les Frères musulmans*, Gallimard, 1983 ; Michel Seurat, *L'Etat de Barbarie*, Seuil, 1989 ; P. Vieille et F. Khosrokhavar, *Le Discours populaire de la révolution iranienne,* Contemporanéité, 1990 ; Sous la direction de Pierre-Robert Baduel, *Etat moderne, nationalisme et islamismes*, n°s 68-69; Olivier Roy, *L'Echec de l'Islam politique*, Seuil, collection Esprit, 1992.

p. 44 – «... sur un registre, évidemment, plus ordinaire...»: Samuel Huntington, «Le choc des civilisations?», *Commentaire,*, été 1994, pp. 237-252. (La première version du texte de Huntington était paru dans le numéro de *Foreign Affairs* de l'été 1993.)

4. Nuit et brouillard au Rwanda

p. 52 – «... l'éternelle boucherie...»: Albert Einstein-Sigmund Freud, *Pourquoi la guerre?* Institut international de coopération intellectuelle, Société des Nations, 1933; l'expression «bande d'assassins» se trouve dans *l'autre* texte de Freud sur la guerre: «Considérations actuelles sur la guerre et sur la mort», in *Essais de psychanalyse*, Payot, 1981.

p. 55 – «... Peut-être faudrait-il relire Tarde. Ou Le Bon...»: J.F. Kahn, *Tout change parce que rien ne change*, Fayard, 1994.

p. 61 – «... ces foules gigantesques qui dégringolent, soudain, dans le crime...»: à l'heure où ce livre est sous presse, des informations de plus en plus précises, et concordantes, indiquent que les nouveaux maîtres de Kigali appliquent une «justice» pour le moins sommaire aux Hutus soupçonnés d'avoir participé aux massacres. Réversibilité de la barbarie ?

DEUXIEME PARTIE : LA VOLONTE DE PURETE

1. L'internationale intégriste

p. 66 – «... les témoignages des survivants...»: cf., entre autres, le 21 septembre 1994, l'excellente *Marche du siècle* consacrée par Jean-Marie Cavada au Rwanda.

p. 67 – «... que cette fétichisation du clivage ethnique ne soit, bien souvent, que la reprise du vieux discours missionnaire...»: Jean-Pierre Chrétien, *Burundi. L'histoire retrouvée*; Khartala, 1993; Jean-Pierre Chrétien, «Les deux visages de Cham», in Guiral et Temine, *L'Idée de race dans la pensée politique française contemporaine*, 1977.

p. 68 – «... on connaît aussi ses déclarations...»: les citations de Jirinovski sont tirées du livre de Didier Daeninckx et Pierre Drachline, *Jirinovski, le Russe qui fait trembler le monde*, Le Cherche Midi, 1994; cf. aussi, sur les liens avec l'extrême droite allemande et, notamment, l'Union du peuple allemand (DVU), *Le Monde* du 10 août 1994.

p. 70 – «... jusques et y compris chez ce grand écrivain, longtemps exilé... »: Alexandre Soljenitsyne, *Comment réaménager notre Russie ?*, Fayard, 1990; et, pour la diatribe contre Jirinovski: *Le "problème russe " à la fin du XXe siècle*, Fayard, 1994.

p. 70 – «... quand il chante son hymne... »: Guy Scarpetta, *Eloge du cosmopolitisme*, Grasset, 1981; Bernard-Henri Lévy, « Adieu Soljenitsyne », *Libération*, septembre 1991, repris dans *Idées fixes, Questions de principe IV*, Le Livre de Poche, 1992.

p. 72 – «... autre exemple, la culture... »: hommage soit rendu à Juan Goytisolo dont le *Cahier de Sarajevo*, La Nuée bleue, 1993, aura été, avec l'essai de Jacques Julliard, puis *L'Air de la guerre* de Jean Hatzfeld (éditions de L'Olivier), le premier livre à *raconter* cette barbarie nouvelle. Cf., aussi, les pages consacrées à la guerre de Bosnie dans Edwy Plenel, *Un temps de chien*, Stock, 1994, pp. 41 et sq.

p. 77 – «... qui, avant de sortir les fusils... »: Olivier Roy, *op. cit.*, p. 110.

2. La variante communiste

p. 82 – «... une "histoire des intellectuels" qui faisait déjà la part belle... »: Bernard-Henri Lévy, *Les Aventures de la liberté*, Grasset, 1991.

p. 84 – «... ce Gide si prudent... »: André Gide, *Nourritures terrestres* et *Nouvelles nourritures*, Gallimard, 1936, pp. 253-254, 281-283, réédité dans la collection Folio.

p. 84 – «... Rolland... »: Micheline Tison-Braun, *La Crise de l'humanisme, le conflit de l'individu et de la société dans la littérature française moderne*, t. II, Librairie Nizet, 1967.

p. 86 – «... le surréalisme était un crime... »: Louis Aragon, *Pour un Réalisme socialiste*, Denoël, 1935, pp. 14-15 et 122.

p. 87 – «... ses plus éminents représentants ne nous ont-ils pas raconté, dans un beau livre... »: Christian Jambet et Guy Lardreau, *L'Ange*, Grasset, 1976.

p. 92 – « ... j'en veux, sinon pour preuve, du moins pour symptôme... » : *Le Figaro*, 12 septembre 1994.

3. Pol Pot, Savonarole, Saint-Just et quelques autres

p. 99 – « ... trois grandes chaînes de métaphores... » : Rudolph Binion, *Hitler et l'Allemagne, l'envers de l'Histoire*, Point Hors Ligne, 1994 ; également Patrick Tort, « Le pur et le dur », in *La Pureté*, ouvrage collectif dirigé par Sylvain Matton, Editions Autrement, 1993, pp. 172 et sq.

p. 100 – « ... lire Céline aussi, mais *l'autre* Céline... » : le *Céline* de Philippe Muray, publié en 1981, dans la collection Tel Quel, au Seuil, a été repris, quatre ans plus tard, chez Denoël, en collection Médiations. Cf., aussi, Julia Kristeva, *Pouvoirs de l'horreur,* Seuil, collection Tel Quel, 1980.

p. 102 – « ... le Saint-Just encore modéré qui, en 1790, dans *L'Esprit de la Révolution*, dit l'horreur que lui inspire... » : cité dans Laurent Dispot, *La Machine à terreur*, Grasset, 1978, p. 75.

p. 102 – « ... quand le second Saint-Just se dresse... » : l'anecdote est rapportée par Albert Ollivier, dans son *Saint-Just et la force des choses*, Gallimard, 1954, préface d'André Malraux ; la phrase de Barère, à laquelle répond l'exclamation de Saint-Just est : « le vaisseau ne peut arriver au port que sur une mer rougie de flots de sang. »

p. 103 – « ... pauvre Robespierre... » : Laurent Dispot, *op. cit.*, pp. 204-205.

p. 104 – « ... les cathares. Purs entre les purs... » : Anne Brenon, *Les Femmes cathares*, Perrin, 1992 ; Jean Guitton, *L'impur*, Desclée de Brouwer, 1991 ; Michel Roquebert, *L'Epopée cathare*, Privat, 1986.

p. 106 – « ... temps des prélats immoraux et du commerce des Indulgences » : Christian Bec, *Le Siècle des Médicis*, PUF, 1977 ; Marcel Brion, *Savonarole, le héraut de Dieu*, éditions du Vieux Colombier, 1948 ; Ivan Cloulas, *Savonarole, ou la Révolution de Dieu*, Fayard, 1994 ; Robert Klein, *Le Procès de Savonarole*, Le Club du meilleur livre, 1957 ; Georges Mounin, *Savonarole*, Le Club français du livre, 1960 ; Hélène Védrine, *Censure et pouvoir : trois procès : Savonarole, Bruno, Galilée*, Mouton, 1976 ; Pierre Antonetti, *Savonarole, le prophète désarmé*, Perrin, 1991.

p. 107 – « ... Sandro Botticelli, dont le style, à tout hasard, s'épure... » : Caterina Caneva, *Botticelli*, Bordas, 1992.

p. 107 – « ... le contact avec la mort... » : le texte des *Nombres* (19, 13) est, exactement : « Quiconque a touché à un cadavre, au corps d'une personne morte, et ne se purifie pas, souille la résidence de Dieu et cette existence sera retranchée d'Israël. »

p. 108 – « ... la séparation du lait et du sang... » : Patricia Hidiroglou, in *La Pureté*, op. cit., pp. 82-104.

p. 109 – « ... alors, que certains soient passés outre... » : Shmuel Trigano, *La Demeure oubliée*, Gallimard, 1994 ; Gershom G. Scholem, *Le Messianisme juif*, Calmann-Lévy, 1974 ; Gershom Scholem, *Du frankisme au jacobinisme*, Seuil, 1981.

4. Les Dix commandements de l'intégrisme

p. 114 – « ... l'intégriste ne croit pas [...] au péché originel... » : cette affaire de péché originel mériterait d'amples développements ; je me contente, en attendant une étude plus fouillée, de renvoyer à quelques textes : Louis Ligier, *Péché d'Adam et péché du monde*, Aubier, 1960 ; J. Coppens, *La Connaissance du Bien et du Mal, et le péché du Paradis*, Analecta Louvaniensa Biblica, II, 3, Louvain-Bruges-Paris ; P. Humbert, *Etudes sur le récit du Paradis et de la Chute dans la Genèse*, Neuchâtel, 1940.

p. 115 – « ... cette “première” Torah que nul n'a jamais vue... » : Shmuel Trigano, *op. cit.*

p. 116 – « ... c'est la Bible qui, là encore... » : Bernard-Henri Lévy, *Le Testament de Dieu*, Grasset, 1979, pp. 244-260.

p. 117 – « ... interminables spéculations sur la supposée pureté de la langue “adamique”... » : Maurice Olender, *Les Langues du paradis*, Gallimard/Seuil, 1989.

p. 119 – « ... les khmers verts ou les intégristes de l'écologie... » : Luc Ferry, *Le Nouvel ordre écologique*, Grasset, 1992.

p. 121 – « ... l'extrême compétence de ces ingénieurs... » : sur cet « islamotechnocratisme », on trouvera de précieuses indications dans *Le Drame algérien*, ouvrage collectif, publié par La Découverte, en 1994, sous la direction de « Reporters sans frontières » ; entre autres, pp. 173-175, 189-192, 202-204.

p. 121 – « ... c'est l'hypothèse de Platon... » : *Phédon* 92b, trad. Robin ; Christian Jambet, *Apologie de Platon*, Grasset, 1976.

p. 128 – « ... la haine des factions... » : cette déclaration entre mille autres, citée par Albert Ollivier *(Saint-Just et la force des choses*, Gallimard, 1954, p. 195) : « L'Europe vous demandera la paix ; mais le jour que vous aurez donné une constitution au peuple français, le même jour les divisions cesseront ; les factions accablées ploieront sous le joug de la liberté. » Sur la « nostalgie de l'amitié », Albert Ollivier, *ibid.*, 410 : « Celui qui ne croit pas à l'amitié ou qui n'a point d'ami est banni. Chaque homme doit, tous les ans, déclarer publiquement, dans le temps, quels sont ses amis. En cas de rupture, l'explication est obligatoire et l'ingratitude vaut, elle aussi, le bannissement. »

TROISIEME PARTIE : MALAISE DANS LA CIVILISATION DEMOCRATIQUE

1. Notre désarroi et le leur

p. 135 – « ... dont Spinoza trouvait le modèle chez les Turcs... » : Spinoza, *Traité politique*, chapitre VI, article 4 ; « ... mais c'est l'équilibre de la mort... » : *Ibid.*, chapitre X, article 8 ; « ... un ébranlement suffirait... » : *Ibid.*, chapitre V.

p. 135 – « ... n'est-ce pas le signe qu'il est dangereux d'avoir des idées... » : cf. Jean-Marie Colombani, *La gauche survivra-t-elle aux socialistes*, Flammarion, 1994.

p. 136 – « ... la fin de la politique... » : Guy Konopnicki, *L'Amour de la politique*, Grasset, 1985.

p. 136-137 – « ... son propos sera reçu dans un silence embarrassé... » : le texte de Philippe Sollers, d'abord publié dans une série de journaux européens, dont le quotidien français *Libération*, est reproduit dans l'ouvrage collectif *Chère Taslima Nasreen...* Stock/Reporters sans frontières, 1994.

2. Humanitaire, trop humanitaire

p. 142 – « ... dont l'Histoire aura été constamment écrite sous l'œil des bourreaux et des barbares... » : cf. René Girard, *Quand ces choses commenceront*, Entretiens avec Michel Treguer, Arléa, 1994, p. 173 ; le texte de Girard : « L'Histoire est en général écrite par les vainqueurs. Nous sommes le seul monde dans lequel on veuille que l'Histoire soit écrite par les victimes. »

p. 143 – « ... C'est ce que l'on fit en Ethiopie... »: André Glucksmann et Thierry Wolton, *Silence on tue*, Grasset, 1986.

3. Mourir pour Sarajevo ?

p. 152 – « ... ce n'est pas la première fois, sans doute, que s'offre... » : Gilles Hertzog, « Bosnie : les nouveaux grands cimetières sous la lune », *La Règle du jeu*, janvier 1992, n° 12.

p. 153 – « ... peut-être Benda avait-il raison... » : je cite ce fragment de Benda, ainsi que celui de Halévy, d'après Denis Hollier, *Les Dépossédés (Bataille, Caillois, Leiris, Malraux, Sartre)*, Minuit, 1993.

4. La nouvelle crise de la conscience européenne

p. 162 – « ... dans un livre qui fit date, Pascal Bruckner... » : La Mélancolie démocratique, Seuil, 1990, réédité, avec une préface inédite, en 1992.

p. 162 – « ... Pierre Hassner, dans le même esprit... » : Pierre Hassner, « Nous entrons dans un nouveau Moyen Age », entretien avec Bertrand Le Gendre, *Le Monde*, 27 octobre 1992.

p. 164 – « ... Thèse que l'on retrouverait encore chez Debord... » : Guy Debord, *Panégyrique, tome premier*, Gallimard, 1993; Régis Debray, *Le Scribe*, Grasset, 1980; Jean Daniel, « Après le communisme l'Europe », Conférence prononcée au Palais des Congrès de Strasbourg, le 28 mars 1990 (à paraître) ; Michel Serres, *Esthétiques sur Carpaccio*, Hermann, 1975.

p. 166 – « ... inévitable loi de structure... » : reste l'hypothèse, évoquée par Marc Guillaume, dans une conversation avec Jean Baudrillard (*Figures de l'altérité*, Descartes et Cie, 1994) et reprise de Victor Segalen (et à son *Essai sur l'exotisme)* d'une disparition pure et simple de l'altérité dans les sociétés démocratiques avancées. « La vraie rareté, dit-il, c'est l'altérité » ; plus loin : « à une période où il existait encore des barbares et des sauvages à découvrir, succède une époque où la Terre devenant une boule, le voyage s'achève et le tourisme commence. »

p. 167 – « ... ce que nous leur devions de plus précieux... » : cf., aussi, Emmanuel Lévinas, entretien avec Roger-Pol Droit, *Le Monde*, 2 juin 1992, repris dans *Les Imprévus de l'Histoire*, Fata Morgana, 1994.

p. 170 – «... cette fameuse “mort de Dieu” prophétisée par Nietzsche...» : ce texte (§125 du *Gai savoir)* est longuement commenté par Heidegger dans *Chemins qui ne mènent nulle part*, Gallimard, collection Tel, trad. Wolfgang Brokmeier, pp. 252 à 322.

p. 170-171 – « si “Etat-spectacle” désigne un régime où l'image l'emporte sur la parole...» : Georges Balandier, *Le Dédale*, Fayard, 1994; Murray Edelman, *Pièces et règles du jeu politique*, Seuil, 1991 ; Jean-Marie Cotteret, *Gouverner c'est paraître*, PUF, 1991.

p. 174 – «... on les connaît, ces règles...» : Jean-Claude Guillebaud, «Biafra ou les nocifs paradoxes de la charité», *Sud-Ouest Dimanche*, février 1970.

p. 175 – «... un autre temps, dont on dira...» : Daniel Schneidermann, *Où sont les caméras? Traité de la gloire médiatique*, Belfond, 1989; Régis Debray, *L'Etat séducteur*, Gallimard, 1993.

5. Ce qu'est un lien social et comment il se rompt

p. 178 – «... ce témoignage de tous mes amis de Sarajevo...» : sous la direction de Véronique Nahum-Grappe, Vukovar-Sarajevo, Seuil, 1994; cf., aussi, Jean Daniel, Conférence à la faculté de théologie de Lyon, 11 mars 1992 : «la maxime jadis prédominante dans les Balkans selon laquelle le proche, l'ami, ce n'est pas le voisin, c'est le voisin du voisin, car le voisin immédiat c'est toujours l'ennemi».

p. 179 – «... des explosions de haine et de fureurs...»: voir «La Haine», *Magazine littéraire*, n° 323, juillet-août 1994.

p. 182 – «... c'est la ville elle-même qui est en crise...» : André Antolini et Yves-Henri Bonello, *Les Villes du désir*, Galilée, 1994.

QUATRIEME PARTIE : REPONSE A LA QUESTION : QU'EST-CE QUE LE POPULISME ?

1. L'invention de l'Autre

p. 191 – «... une manière de nouveau “limes”...»: Jean-Christophe Rufin, *L'Empire et les nouveaux barbares*, Lattès, 1991.

p. 192 – «... cette part du monde musulman qui refuse l'intégrisme...» : cette question d'un Islam non intégriste, voire susceptible d'y résister et compatible, donc, avec les idéaux démocratiques, est évidemment au cœur du débat; l'idée reçue? celle qui se répète depuis Renan *(Œuvres complètes*, t. 1, Calmann-Lévy, 1947, p. 956) : « les libéraux qui défendent l'islam ne le connaissent pas; l'islam c'est l'union indiscernable du spirituel et du temporel, c'est le règne d'un dogme, c'est la chaîne la plus lourde que l'humanité ait jamais portée »; la réalité? les travaux d'Henry Corbin démontrant que le Chi'isme lui-même, par sa théorie de l'imam caché, est équipé pour faire échec au délire de ceux qui veulent croire à l'avènement, ici-bas, du royaume de Dieu; les travaux, également de celui qui est peut-être, aujourd'hui, son meilleur héritier, Christian Jambet.

p. 192 – « ... cette figure du délinquant, largement construite... » : Renaud Dulong et Patricia Paperman, *La Réputation des cités HLM, enquête sur le langage de l'insécurité*; L'Harmattan, 1992.

p. 192 – « ... et puis ce sera, bien sûr, l'immigré... »: Sami Naïr, *Lettre à Charles Pasqua, de la part de ceux qui ne sont pas bien nés*, Seuil, 1994.

p. 193 – « ... que cette question de l'immigration soit, comme les autres, une fausse question... » : je renvoie au texte d'Etienne Balibar (publié dans Etienne Balibar et Immanuel Wallerstein, *Race, nation, classe ; les identités ambiguës*, La Découverte, 1990) où se trouve notamment rappelé que « les immigrés ne grèvent pas les ressources de la Sécurité sociale, mais l'alimentent; leur renvoi massif ne créerait aucun emploi, voire en supprimerait en déséquilibrant certains secteurs économiques; leur part dans la criminalité n'augmente pas plus vite que celle des Français », etc.

2. De l'inutilité d'une certaine mémoire

p. 200 – « ... c'est comme une industrie du souvenir qui tournerait à plein régime... » : Georges Balandier, dans *Le Dédale*, Fayard, 1994, parle d'« industrie de la commémoration »; cf., aussi, William M. Johnston, *Postmodernisme et Bimillénaire, le culte des anniversaires dans la culture contemporaine*, PUF, 1992.

p. 202 – « ... une mémoire dévote, non critique... » : Alain Finkielkraut, *La Mémoire vaine*, Gallimard, 1989 ; pour une conception, *en acte*, de la mémoire, voir surtout Philippe Sollers, *La Guerre du goût*, Gallimard, 1994.

p. 203 – « ... cette volonté dont parle Tacite... » : Tacite, *Annales*, Livre III, chapitre 65 : « J'estime que la principale fonction de l'Histoire est que les qualités morales ne sombrent pas dans l'oubli et que ce qu'il y a de mauvais, en paroles ou en actes, craigne que la postérité ne le juge infâme.»

3. Le nationalisme a toujours tort

p. 205 – «... c'est ce qui se produit dans les années trente...» : je ne peux que renvoyer sur ce point aux tout premiers chapitres de *L'Idéologie française*, Grasset, 1981.

p. 205-206 – «... dans l'Europe des années quatre-vingt-dix...» : Gilles Martinet, *Le Réveil des nationalismes français*, Seuil, 1994.

p. 208 – «... leurs points de contact et de chevauchement...» : *Idées sur la philosophie de l'histoire de l'humanité*, traduction d'Edgar Quinet, Presses Pocket, 1991.

p. 209 – «... le plus mauvais des nationalismes, le plus meurtrier...» : Hegel, *Principes de la philosophie du droit*, trad. A. Kaan, Gallimard, 1963, § 347, p. 368.

p. 211 – «... Franz Rosenzweig, au début de ce siècle, dans sa critique de la théorie hégélienne de l'Etat...» : textes de Franz Rosenzweig cités in Stéphane Mosès, *L'Ange de l'Histoire*, Seuil, 1992, pp. 72-74.

p. 212 – «... encore n'est-il pas exactement prouvé...» : Lautréamont, *Les Chants de Maldoror*, chant IV, Livre de Poche, 1963, p. 222.

4. Ce que veut le Peuple

p. 214 – «... langue crue, presque truculente, d'un Jean-Marie Le Pen...» : ne pas se lasser, lorsque l'on écoute ce personnage, ou les réactions suscitées par ses douteux calembours, du célèbre «le petit Français rougit d'aise au mot caca» d'Aragon, dans son *Traité du style*.

p. 218 – «... conformément, d'ailleurs, à la recommandation des Sages, ou de Hegel...» : Hegel, *Principes de la philosophie du droit*, Gallimard, 1963, p. 347.

p. 218 – «... c'est l'Opinion, au contraire, qui triomphe...» : Jean-Claude Milner, *De l'Ecole*, Seuil, 1984, p. 142 («Dans les démocraties formelles, il n'est pas de puissance plus dangereuse pour les libertés que l'opinion»)

p. 218 – «... le moment de cette coupure, quasi messianique...»: Patrick Champagne, *Le Nouveau jeu politique*, Minuit, 1990, p. 90.

p. 219 – «... on entre avec le populisme, dans le temps des sondages...»: Michel Bongrand, *Le Marketing politique*, PUF, 1986; Patrick Champaigne, *Le Sens commun. Faire de l'opinion le nouveau jeu politique*, Minuit, 1990; Monique Dagnaud, «Matignon et les médias», *Le Monde*, 3 et 4 avril 1991; Régis Debray, *L'Etat séducteur*, Gallimard, 1993.

p. 220 – «... et voici que les rôles s'inversent...»: sur cette «revanche des gouvernés», ce «martèlement futile des sondages», leur «fréquence répétitive», l'accélération de leur «rythme», cf. Guy Hermet, *Le Peuple contre la démocratie,* Fayard, 1989.

5. Populisme et intégrisme

p. 226 – «... l'Allemagne vivait, depuis la guerre...»: sur cette notion de «patriotisme constitutionnel», voir les travaux de Jurgen Habermas et de Dolf Stenberger.

p. 227 – «... ce pays n'était pas, et ne serait peut-être plus...»: noter, cependant, que la *perspective* de la réunification est inscrite, depuis 1949, dans la «Loi fondamentale» de la RFA; sur ce «retour» du nationalisme, cf. Alain Minc, *La Vengeance des nations*, Grasset, 1991; puis *Le Nouveau Moyen Age*, Gallimard, 1993.

p. 233 – «... l'appel à l'homme fort, ou plus exactement propre, dont les mains soient assez pures...»: Guy Konopnicki, *Chante, petit coq, chante*, Grasset, 1991.

p. 234 – «... n'avons-nous pas vu, en France, un Premier ministre...»: Pierre Bérégovoy, discours du 8 avril 1992, devant l'Assemblée nationale.

p. 234 – «... le déferlement aux Etats-Unis – seulement aux Etats-Unis? – de la "political correctness"...»: voir l'article de Françoise Gaillard, «Politiques ou corrects, l'Amérique nous oblige à choisir», in *Crises*, revue trimestrielle, dirigée par Yves Roucaute, PUF, n° 1; voir aussi Richard Bernstein, *Dictatorship of virtue (Multiculturalism and the battle for America's future)*, New York, Knopf, 1994; voir enfin, en marge, le bel article de Danièle Sallenave, «Le crépuscule de l'Europe sur les campus américains», *Le Messager européen*, 1991, n° 5.

CINQUIEME PARTIE : QUE FAIRE ?

1. S'obstiner dans la pensée

p. 242 – « ... il y a le cas d'un Lefort... » : Claude Lefort, *Un homme en trop : réflexions sur l'Archipel du Goulag*, Seuil, 1976 ; *L'Invention démocratique : les limites de la domination totalitaire*, Fayard, 1981 ; *Essais sur le politique : XIXe-XXe siècle*, Seuil, 1986 ; *Ecrire à l'épreuve du politique*, Calmann-Lévy, 1992.

2. Renouer avec le Tragique

p. 253 – « ... les monochromes noirs de Barnett Newman... » : sur cette « tentation intégriste » dans la peinture moderne, voir Guy Scarpetta, *L'Impureté*, Grasset, 1985 ; Jacques Henric, *La Peinture et le Mal*, Grasset, 1983 ; Bernard-Henri Lévy, *Frank Stella*, La Différence, 1989 ; Bernard-Henri Lévy, *Piet Mondrian*, La Différence, 1992.

p. 254 – « ... la contemplation du ciel vide... » : *Le Testament de Dieu*, op. cit., p. 274.

p. 256 – « ... toujours selon Kant... » : *Idée d'une histoire universelle d'un point de vue cosmopolitique*, in Œuvres complètes, La Pléiade, tome II ; p. 28.

p. 258 – « ... désavouer toutes les éternelles spéculations sur l'âme européenne, la culture européenne... » : cela n'empêche pas, au contraire, que les hommes de culture soient les mieux placés pour penser, et mettre en œuvre, l'idée de l'Europe que je propose ici. Entre autres le Enzensberger de *Europe, Europe !* (Gallimard, 1988), le Claudio Magris de *Danube* (Gallimard, 1988) le José Saramago de *Le Radeau de pierre* (Seuil, 1990), Juan Goytisolo, le Sollers de *La Guerre du goût*, d'autres. Leur lien ? L'Europe, pour tous, n'est pas un « lieu commun », c'est un espace de dialogue, de dispersion et de rencontre.

3. Faire le deuil de la vérité

p. 263 – « ... un despotisme de la vérité, implacable... » : Hannah Arendt, *La Crise de la culture*, Gallimard, 1989, pp. 142 et 305.

p. 264 – « ... il est clair que, dans cette querelle... » : Emmanuel Terray,

La Politique dans la caverne, Seuil, 1990, chapitre 1, « La politique des sophistes »; cf., aussi, pour des analyses plus détaillées, Barbara Cassin, *Positions de la sophistique*, Vrin, 1986 et Eugène Dupreel, *Les Sophistes*, Griffon, Neuchâtel, 1980.

p. 265 – « ... c'est d'ailleurs *aussi* ce que dit Platon... » : sur ce risque, sur le danger d'être conduit à penser que « ce qu'il y a de plus juste c'est de triompher, s'il y a lieu, par la violence » et que doive être menée « la droite existence selon la nature qui consiste authentiquement à vivre en dominant les autres au lieu de vivre en se faisant l'esclave légal d'autrui », cf. Platon, *Lois*, 890 a; cf., aussi, Platon, *République I*, 344 ab, *Ibid.*, II 357 a et 358 b, *Lois X*, 889 d-e, tous textes cités par Terray, *op. cit.*.

p. 270 – « ... le dernier Foucault, nietzschéen et sophiste... » : cf. ces deux textes cités par Michel Sennelart, dans « Michel Foucault : "gouvernementalité" et raison d'Etat », in *La Pensée politique*, n° 1, Hautes Etudes, Gallimard/Seuil : « Le pouvoir ne se possède pas car il se joue, il se risque. Le pouvoir se gagne comme une bataille et se perd de même. C'est un rapport belliqueux et non un rapport d'appropriation qui est au cœur du pouvoir »; et : « l'étude de [la] microphysique [du pouvoir] suppose que le pouvoir qui s'y exerce ne soit pas conçu comme une propriété, mais comme une stratégie [...] qu'on lui donne pour modèle la bataille perpétuelle plutôt que le contrat qui opère une cession ou la conquête qui s'empare d'un domaine. » Cf., aussi, ce commentaire de Gilles Deleuze, dans *Foucault,* Minuit, 1986, p. 38 : « il montre que la loi n'est pas plus un état de paix que le résultat d'une guerre gagnée : elle est la guerre elle-même, et la stratégie de cette guerre en acte. » Cf., enfin, in Paul Veyne, « Le dernier Foucault et sa morale », *Critique*, août-septembre 1986, n°s 471-472 : « Foucault était un guerrier [...] un homme de la deuxième fonction; un guerrier est un homme qui peut se passer de la vérité, qui ne connaît que des partis pris, le sien et celui de l'adversaire, et qui a l'énergie suffisante pour se battre sans devoir se donner raison pour se rassurer... »

4. Penser comme on fait la guerre

p. 276 – « ... laquelle, demande Machiavel, dans un passage fameux des *Discorsi...* » : Claude Lefort, *Ecrire à l'épreuve du politique*, op. cit., pp. 144 et sq.

p. 276 – « ... il y a, dit Machiavel... » : cf. *Le Prince*, chapitre IX, et les

Discours, chapitre IV; le texte exact est: «Il y a dans toute cité deux humeurs, celle du peuple et celle des grands: le peuple ne veut pas être commandé, opprimé par les grands; les grands veulent commander, opprimer le peuple.» Ailleurs (*Histoires florentines*, cité par Lefort, *ibid.*, p. 166): «Aucun exemple à mon gré ne prouve mieux la puissance de notre cité que celui de nos dissensions, qui auraient suffi pour anéantir un Etat plus grand et plus puissant, tandis que Florence parut toujours y puiser de nouvelles forces.»

TABLE

QUATRIEME PARTIE

Réponse à la question : Qu'est-ce que le populisme ?

CINQUIEME PARTIE

Que faire ?